Matelocuras 2

Una odisea espacial

Matelocuras 2

Una odisea espacial

Ivars Peterson

Nancy Henderson

LIMUSA · WILEY

Peterson, Ivars

Matelocuras 2: Una odisea espacial = Math Trek 2: A mathematical space odyssey / Ivars
Peterson; Nancy Henderson, coaut; Jessica Wolk-Stanley, il; Francisco León
Hernández, tr. -- México: Limusa Wiley, 2004.
132 p. il.; 19 cm.
ISBN: 968-18-6435-2

I. Matemáticas recreativas - Literatura juvenil

LC: QA95   Dewey: 793.74 dc21

ILUSTRACIONES: JESSICA WOLK-STANLEY.

CRÉDITOS:
PÁG. 3: © EUROPEAN SOUTHERN OBSERVATORY; PÁG.
7 (IZQUIERDA): ESPIRAL FILOTÁCTICA, © MICHAEL TROTT,
WOLFRAM RESEARCH; PÁGS. 5, 7, 9 Y 34: FOTOGRAFÍAS
DE I. PETERSON; PÁGS. 21 (PARTE INFERIOR), 48 Y 52:
CORTESÍA DE STAN WAGON, MACALESTER COLLEGE; PÁG.
22 © CORDON ART B. V.; PÁG. 49: FOTOGRAFÍA © GREG
HELGESON; PÁGS. 83 Y 84: CORTESÍA DE TOM BANCHOFF,
DE LA BROWN UNIVERSITY.

VERSIÓN AUTORIZADA EN ESPAÑOL DE LA OBRA
PUBLICADA ORIGINALMENTE EN INGLÉS CON EL TÍTULO:
MATH TREK 2
A MATHEMATICAL SPACE ODYSSEY

© JOHN WILEY AND SONS, INC., NEW YORK,
CHICHESTER, BRISBANE, SINGAPORE, TORONTO AND
WEINHEIM.

CON LA COLABORACIÓN EN LA TRADUCCIÓN DE:
FRANCISCO LEÓN HERNÁNDEZ
LICENCIADO EN MATEMÁTICAS APLICADAS Y
COMPUTACIÓN POR LA ESCUELA DE ESTUDIOS
PROFESIONALES ACATLÁN, MÉXICO

DERECHOS RESERVADOS:

© 2004, EDITORIAL LIMUSA, S.A. DE C.V.
GRUPO NORIEGA EDITORES
BALDERAS 95, MÉXICO, D.F.
C.P. 06040
☎ (5) 8503-80-50
01(800) 7-06-91-00
📠 (5) 512-29-03
🕸 limusa@noriega.com.mx
www.noriega.com.mx

CANIEM NÚM. 121

PRIMERA EDICIÓN
HECHO EN MÉXICO
ISBN 968-18-6435-2

A nuestros hijos,

Eric y Kenneth

Contenido ....

Prólogo ....

Las matemáticas pueden llevarte a lugares inimaginados. Al explorar el universo matemático observarás diseños desconcertantes, resolverás fascinantes enigmas y llevarás la imaginación a niveles insospechados. ¡Descubrirás que las prodigiosas formas y diseños del campo de las matemáticas también aparecen en la vida cotidiana, justo aquí en la Tierra! Observa una margarita, patea un balón de futbol soccer o desenreda un cordón, y de inmediato estarás en contacto con las alucinantes maravillas de las matemáticas.

No tienes que ser un experto para jugar y entretenerte con diseños y rompecabezas matemáticos. Resolver enigmas matemáticos puede ser tan apasionante como jugar beisbol, tocar un instrumento musical o practicar la equitación. Encontrarás diversión y retos a cada paso, así que pon tu mente en la plataforma de lanzamiento y prepárate para aventurarte en el universo de las matemáticas.

Conteo regresivo lógico

—¡**A**rregla tu cuarto ahora mismo!–, ordena tu mamá. –¡No saldrás hasta que todo esté en su lugar!–.

Te dejas caer sobre la cama, sintiendo pavor ante la sola idea de ordenar todos esos papeles, tarjetas, libros, juegos, calcetines, zapatos y…

…nada más el pensarlo te hace sentir cansado, y empieza a darte sueño… mucho sueño… y se te cierran los ojos…

De repente, abres los ojos y te das cuenta de que debes haberte quedado dormido. Al mirar el techo liso y apagado de tu cuarto, recuerdas el desorden que debías arreglar. Ya se hizo de noche. Las cortinas todavía están abiertas, y observas por la ventana el cielo tachonado de estrellas.

Escuchas un ronroneo parecido al de un motor a la distancia. Pronto se escucha más fuerte que el ruido del extractor de jugos, luego suena más fuerte que una máquina podadora y después incluso más fuerte que un camión de carga con el escape abierto. Tu cama comienza a moverse, como si tuviera su propio motor. El colchón se dobla formando un asiento.

Tus ojos recorren la habitación. ¿Dónde están todas tus cosas? ¿Quién arregló el desorden? En tu escritorio ahora hay dispositivos de alta tecnología y un teclado en vez de papeles y libros. En lo alto de la pared, frente a ti, hay una enorme pantalla de computadora.

–¡PREPÁRATE PARA DESPEGAR!–, retumba una voz por el radio de tu habitación. El número "55" aparece en la pantalla, y la voz ruge: –¡CINCUENTA Y CINCO!–.

Un segundo después, la voz resuena: –¡TREINTA Y CUATRO!–, al tiempo que el número en la pantalla cambia a "34".

–¡VEINTIUNO!–.

–¡TRECE!–. Si es una cuenta regresiva, piensas, ¿por qué se salta tantos números?

–¡OCHO!–.

–¡CINCO!–.

–¡TRES!–. Te estremeces de ansiedad al sentir el cinturón de seguridad que se abrocha automáticamente.

–¡DOS!–. Tu corazón late cada vez más y más fuerte.

–¡UNO!–. Cierras los ojos y aprietas los puños.

–¡UNO!–. ¿Otra vez uno? ¿Habrá algún error en la cuenta regresiva?

–¡IGNICIÓN!–. Sientes que la habitación entera se estremece durante el despegue.

Tu cuerpo se sume en el asiento, como si fuera atraído por una enorme fuerza de gravedad. Miras por la ventana, y te das cuenta de que realmente estás saliendo de la atmósfera terrestre.

Después de un par de minutos, el motor aminora su marcha. Sientes tu cuerpo extrañamente ligero. Al desabrochar el cinturón, descubres que puedes empujarte del asiento y flotar hacia la ventana.

Asido del descanso de la ventana, puedes distinguir los océanos azules y los continentes en café y verde de la Tierra, y ves cómo el planeta se hace cada vez más pequeño. Después, volteas hacia el espacio y miras miles de estrellas y docenas de galaxias en forma de espiral.

Estrellas y galaxia espiral.

¿Por qué hay tantas espirales? ¿Por qué se saltó números el conteo regresivo y repitió el número "1"? ¡Por todos los cosmos! ¿Qué está ocurriendo aquí?

[Respuesta a continuación]

Una sucesión de números especial

¿Recuerdas el extraño conteo regresivo: 55, 34, 21, 13, 8, 5, 3, 2, 1, 1?

Analízalo en el orden inverso: 1, 1, 2, 3, 5, 8, 13, 21, 34, 55. ¿Puedes ver la lógica o regla a la que responde? ¿Podrías predecir qué número sigue?

Los números pertenecen a una famosa sucesión que debe su nombre al matemático italiano Fibonacci, quien vivió hace más de siete siglos. Cada número consecutivo es la suma de los dos números que lo anteceden. Así, $1 + 1 = 2$, $1 + 2 = 3$, $2 + 3 = 5$, $3 + 5 = 8$, $5 + 8 = 13$, y así sucesivamente.

El noveno número de la **sucesión de Fibonacci** es el 34 y el décimo es el 55, por lo que el undécimo es el 89. ¿Cuál será el duodécimo número de Fibonacci? ¿Cuál será el decimosexto?

[Respuestas en la p. 103]

A continuación encontrarás otras sucesiones de números. Intenta calcular los números que faltan y describe cuál es la regla para cada sucesión.

● ● ● ● ● ● ● ● ● ●

1, 3, 4, 7, 11, 18, 29, 47, ____, 123, …

3, 6, 12, 24, 48, ____, 192, 384, …

1, 3, 6, 10, 15, 21, 28, 36, ____, 55, 66, 78, …

1, 4, 9, 16, ____, 36, 49, 64, 81, 100, …

[Respuestas en la p. 103]

Las sucesiones de números han fascinado durante siglos a los matemáticos. El primer ejemplo mostrado arriba se llama la **sucesión de Lucas**, en honor del matemático francés del siglo XIX Édouard Lucas, quien estudió la sucesión de Fibonacci. Lucas pensó en lo que sucedería si se comenzara con dos números enteros cualesquiera y después se siguiera la regla de Fibonacci. Descubrió muchas secuencias y patrones nuevos e interesantes.

Neil Sloane, matemático de los laboratorios Bell, ha coleccionado secuencias numéricas desde que era estudiante en la Universidad Cornell en la década de 1960. Ha descrito cerca de seis mil ejemplos de ellas en su libro *Encyclopedia of Integer Sequences* (*Enciclopedia de sucesiones de enteros*). Este libro es utilizado como referencia por matemáticos y otros investigadores para contabilizar o tabular elementos en los que están presentes secuencias numéricas, desde el número de átomos contenidos en distintas moléculas hasta los nudos de diferentes plantas.

Números en la naturaleza

Si alguna vez has buscado un trébol de cuatro hojas, sabrás que es muy difícil encontrarlos porque casi todos los tréboles sólo tienen tres hojas.

Si cuentas los pétalos de varias flores diferentes, descubrirás que el número más común de pétalos es cinco. Los ranúnculos (botón de oro), geranios, pensamientos, primaveras, rododendros, flores de jitomate y muchas otras flores más tienen cinco pétalos.

También encontrarás flores de ocho pétalos (por ejemplo, la espuela de caballero), de trece pétalos (hierba cana o zuzón) y de veintiún pétalos (margarita rosada). Los números de Fibonacci –3, 5, 8, 13 y 21– afloran con sorprendente frecuencia en las plantas, desde los grupos de pétalos de una flor hasta la disposición de las hojas en un tallo.

Las flores suelen tener tres, cinco u ocho pétalos.

Cuenta los pétalos de varias flores y encuentra números de Fibonacci.

QUÉ NECESITAS
- libros o catálogos con fotografías de flores, o también puedes observar flores naturales
- lápiz y papel

QUÉ HACER
1. Cuenta el número de pétalos de cada flor y anota los totales. Si es posible, revisa varios ejemplares de la misma especie, para ver si cada flor del mismo tipo tiene exactamente el mismo número de pétalos. Si son diferentes, anota el número más común de pétalos o el número promedio.
2. Verifica cuántos de los conteos que anotaste son números de Fibonacci. ¿Podrías encontrar alguna flor cuyos pétalos no sean un número de Fibonacci?

[Respuesta en la p. 103]

Brazos en espiral

No es raro encontrar espirales en la naturaleza –en las formas del caparazón del nautilo, entre algunas clases de telarañas y en los brazos de muchas galaxias–. También es frecuente encontrarlas en las plantas.

Las piñas tienen hileras de escamas que forman espirales en ambos sentidos de las manecillas del reloj.

6

Las piñas y las piñas de pino tienen hileras de marcas o escamas en forma de rombo que forman espirales en ambos sentidos de las manecillas del reloj. Si cuentas el número de escamas en una de esas espirales probablemente encontrarás 8, 13 o 21.

En la cabezuela o disco central del girasol, los brotes diminutos que se convertirán en semillas suelen estar dispuestos en dos familias de espirales entrecruzadas, una en el sentido de las manecillas del reloj y la otra en el sentido contrario. Si cuentas el número de brotes de la espiral, probablemente encontrarás 34, 55, 89 o 144. Todos, por supuesto, son números de Fibonacci.

En la cabezuela del girasol se observan dos familias de espirales intersectadas, tal como se muestra en el diagrama de la distribución típica de las semillas.

La razón áurea

¿Por qué aparecen con tanta frecuencia los números de Fibonacci en el mundo natural?

La respuesta tiene que ver con una asombrosa relación entre la sucesión de Fibonacci y un singular número conocido como la **razón** (o **proporción**) **áurea**.

La siguiente figura muestra un rectángulo especial, con longitud A y ancho B. La longitud del lado A dividida entre el lado B es aproximadamente 1.618. Si intentaras escribir el valor decimal exacto, encontrarías que la secuencia de dígitos nunca termina. El número 1.618... se llama la razón áurea. Cualquier rectángulo cuyos lados correspondan a la razón áurea se conoce como **rectángulo áureo**.

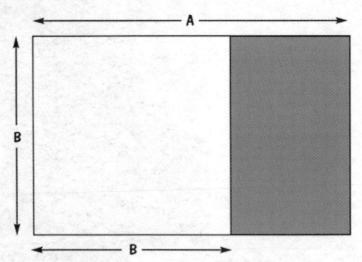

Al recortar un cuadrado de un rectángulo áureo queda un nuevo rectángulo (sombreado) cuyos lados también corresponden a la razón áurea.

Si recortas un cuadrado ($B \times B$) del rectángulo original, obtendrás un nuevo rectángulo más pequeño. Al dividir la longitud de este nuevo rectángulo entre su ancho, ¡también obtendrás 1.618...! Si recortas un cuadrado de este rectángulo más pequeño, obtendrás otro rectángulo cuya razón entre sus lados será 1.618...; es posible continuar este proceso indefinidamente, creando rectángulos cada vez más pequeños, siempre con el mismo resultado.

Cuando traces una curva que una las esquinas de los rectángulos anidados, ¡formarás una espiral! Se trata del mismo tipo de espiral que encontrarás en muchas conchas y caracoles de mar, telarañas y grupos de estrellas en las galaxias.

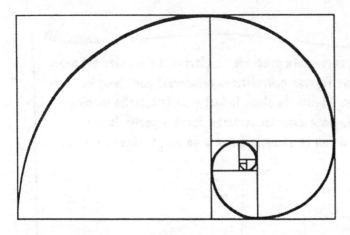

Las esquinas opuestas en diagonal de un conjunto de cuadrados anidados dentro de un rectángulo áureo pueden unirse mediante curvas para crear una espiral.

Las civilizaciones antiguas creían que la razón áurea tenía propiedades divinas y místicas. Por ejemplo, en la antigua Grecia, el Partenón, terminado en el año 438 a.C., fue construido de esta forma: su lado frontal forma un rectángulo áureo.

Y resulta ser el caso que la razón de cualquier par consecutivo de números de la sucesión de Fibonacci es aproximadamente una razón áurea. Por ejemplo ¾ es 1.5, ⅝ es 1.666..., ⅞ es 1.6, etcétera. A medida que los números de la sucesión son más grandes, las razones de los números consecutivos se acercan más a la razón áurea.

El templo griego conocido como Partenón está situado en lo alto de una colina en la ciudad de Atenas. La relación entre el ancho y el alto del edificio es la misma que la de un rectángulo áureo.

La razón áurea está presente en ciertos rectángulos así como en algunas figuras geométricas regulares; por ejemplo, en el pentágono (figura de cinco lados) y en la estrella de cinco puntas. Intenta calcular la razón áurea a partir de las medidas de un rectángulo áureo y de un pentágono regular.

QUÉ NECESITAS
- hoja de papel
- lápiz
- regla
- calculadora

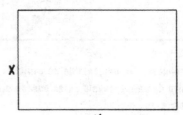

Rectángulo áureo (arriba) y pentágono regular (abajo).

QUÉ HACER

1. Mide el lado X y el lado Y del rectángulo XY. Anota tu respuesta.

2. Calcula Y/X. Anota tu respuesta.

3. Mide el lado LM y el segmento de recta LN del pentágono. Anota la respuesta.

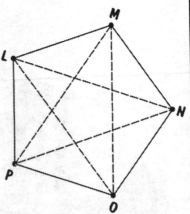

4. Calcula LN/LM. Anota tu respuesta.

5. Compara el resultado del paso 2 con el resultado del paso 4.

6. ¿Podrías encontrar otros pares de medidas en el pentágono que correspondan a la razón áurea?

[Respuesta en la p. 103]

FIBONACCI Y SUS CONEJOS

Leonardo de Pisa, quien vivió aproximadamente de 1170 a 1240, fue el matemático más importante de Europa de la Edad Media. También se le conocía como Fibonacci, que significa "hijo de Bonaccio". Aunque nació en Pisa, Italia, Fibonacci recibió gran parte de su formación matemática inicial de sus tutores musulmanes en Argelia, lugar donde su padre trabajaba como funcionario en un negocio de comercio italiano.

Los maestros de Fibonacci le enseñaron el sistema de numeración indo-arábigo que se utiliza hoy en día. Se percató de las enormes ventajas de este sistema sobre los enredosos números romanos que se usaban en aquella época. (¡Trata de multiplicar XLVIII por CCXI!)

En un manual de matemáticas que escribió para los comerciantes, Fibonacci explicaba las ventajas de la notación indo-arábiga. Su libro, titulado *Liber abaci* (*Libro del ábaco*), ayudó a introducir el sistema de numeración decimal en Europa.

La secuencia de números que lleva su nombre se deriva de un problema aritmético presentado en su libro. Supón que se mete un par de conejos en una jaula para que se reproduzcan. Después de dos meses, nace una pareja de conejos, hembra y macho, y otro par en cada mes subsiguiente. Cada nuevo par, a su vez, produce un par de crías al comienzo del tercer mes. Así, después de cuatro meses hay tres pares de conejos y después de cinco meses hay cinco pares (observa la ilustración de la página 12). Si sigues contando el número de parejas de conejos cada mes, obtendrás los números de la sucesión de Fibonacci.

En el problema de los conejos de Fibonacci, un par de
conejos recién nacidos necesita aguardar dos meses antes
de reproducirse, por lo que sólo hay un par de conejos
durante el primero y el segundo mes (dos primeras
columnas). Éstos se reproducen al tercer mes, así que
ahora hay en total dos pares de conejos (tercera columna).
En el cuarto mes, la pareja original produce otro par, pero
la otra pareja todavía no se reproduce, dando un total
de tres pares de conejos (cuarta columna).

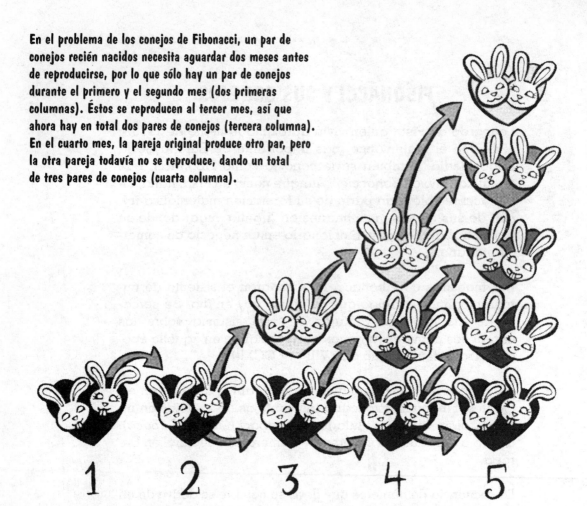

El Planeta de las Figuras

Todo transcurre en silencio y en paz a medida que tu habitación convertida en nave espacial navega sin contratiempos por el espacio. A través de la ventana miras estrellas cintilantes y galaxias espirales, y puedes observar la misma escena en la pantalla de la computadora conforme avanzas.

De pronto, en la pantalla aparece un punto brillante de color verde. Con el *mouse* de la computadora haces clic sobre el punto. El punto verde brillante crece hasta convertirse en una resplandeciente esfera multicolor. Vuelves a hacer clic sobre la esfera, haciéndola más grande. ¡Ahora luce como un brillante balón multicolor de futbol soccer! Su superficie está cubierta con un diseño de figuras de cinco y seis lados, que son **pentágonos** (cinco lados) y **hexágonos** (seis lados).

Haces clic sobre uno de los pentágonos y éste se agranda hasta llenar por completo la pantalla. Entonces te das cuenta de que tiene un curioso diseño de figuras en forma de rombo. Unos rombos son anchos, otros son angostos.

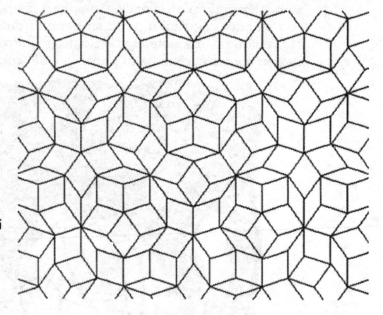

Este peculiar diseño está hecho con sólo dos tipos de teselas: rombos anchos y rombos angostos.

De improviso, un fuerte ruido invade la habitación y sientes que se te sube el estómago como si estuvieras bajando en un ascensor. Después, de repente, todo queda en calma.

Te pones de pie, caminas a la ventana y miras hacia afuera con incredulidad. Al parecer aterrizaste en un planeta muy extraño. No hay rocas ni colinas. No hay desiertos marcianos ni selvas misteriosas. El escenario exterior se ve más como el piso del baño de un gigante que como un paisaje natural. El "suelo" plano está cubierto de mosaicos (o **teselas**) en forma de rombo, unos anchos y otros angostos, acomodados en el mismo diseño peculiar que mostraba la pantalla.

Desciendes de la nave y caminas por el piso de mosaico hasta donde hay un letrero y un mapa:

Utilizas el mapa como guía para enfilarte rumbo a Ciudad Tablero de Ajedrez, pasando de un mosaico ancho o angosto al siguiente. Pronto llegas a un gigantesco tablero de ajedrez. Das vuelta a la derecha y te diriges a Terraza de Triángulos, donde seguramente encontrarás un piso de triángulos. Después, te enfilas a Plaza Octágono y Refugio Panal.

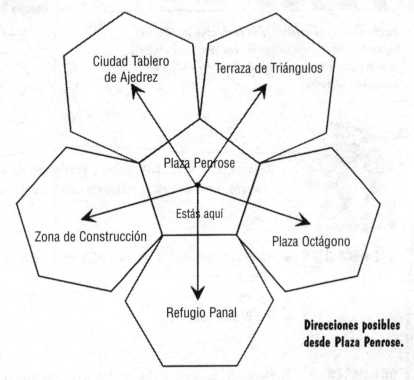

Ciudad Tablero de Ajedrez

Terraza de Triángulos

Plaza Penrose

Estás aquí

Zona de Construcción

Plaza Octágono

Refugio Panal

Direcciones posibles desde Plaza Penrose.

Continuando con tu caminata, finalmente llegas a Zona de Construcción. ¡Es un absoluto desastre! No tiene piso y por todos lados están tirados mosaicos (teselas) de diferentes colores y formas: hexágonos, cuadrados, rectángulos y rombos.

Sólo para entretenerte, decides jugar con las figuras. Utilizas solamente los cuadrados y descubres que es fácil cubrir el piso sin dejar huecos. Intentas cubrirlo con triángulos, y luego con hexágonos. ¡Sin huecos!

En lugar de utilizar una sola figura, intentas cubrir el piso con una combinación de cuadrados, triángulos y hexágonos. ¿Puedes acomodar las figuras para formar un diseño sin dejar ningún hueco?

[Respuestas a continuación]

Ciudad Tablero de Ajedrez

Terraza de Triángulos

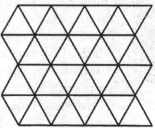

Plaza Octágono

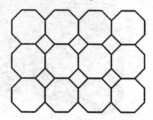

Refugio Panal

Cuatro diseños de teselados: de cuadrados (arriba a la izquierda), de triángulos equiláteros (arriba al centro), de octágonos y cuadrados (arriba a la derecha) y de hexágonos (derecha).

AHORA tú

Recorta cuadrados, triángulos y hexágonos de papel. Después, crea con ellos diferentes diseños de mosaicos.

QUÉ NECESITAS

- muchos mosaicos de papel (saca al menos cinco copias fotostáticas de la página 17)
- tijeras
- superficie plana

QUÉ HACER

1. Recorta las figuras de las fotostáticas que hayas sacado.
2. Intenta empalmar cuadrados y triángulos de tal manera que cubran la superficie completamente, sin dejar huecos y sin encimarlos. ¿Podrías crear un diseño que se repita?
3. Ahora, intenta cubrir la superficie con un diseño repetido de triángulos y hexágonos. ¿Existe más de una posibilidad?
4. Intenta utilizar todas las figuras –triángulos, cuadrados y hexágonos– para crear un diseño repetido que cubra la superficie.

[Respuestas en las pp. 103-104]

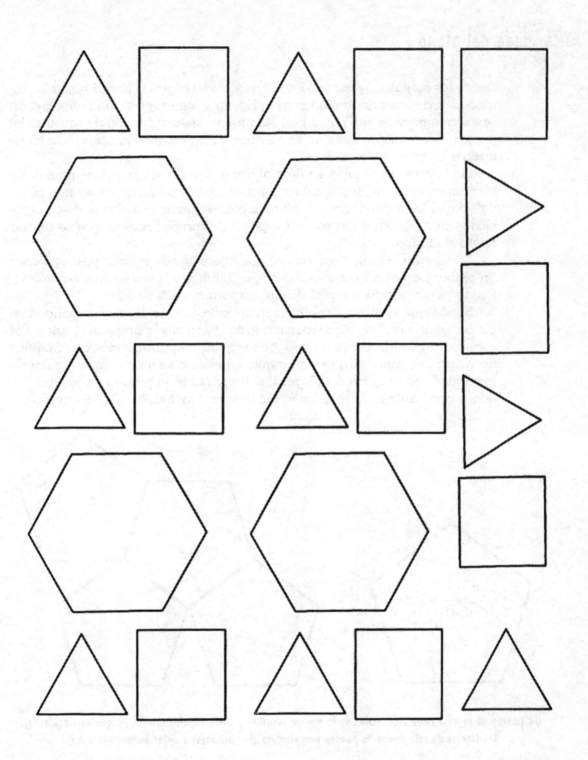

Teselado del plano

Desde los mosaicos y azulejos que has visto en algunos baños hasta los intrincados diseños de la cerámica indígena y los tapetes orientales, los diseños geométricos repetidos han sido fuente de inspiración de artistas del mundo entero desde hace miles de años. Estos diseños también han fascinado a los matemáticos.

El teselado es el proceso de empalmar figuras geométricas planas de tal manera que las piezas cubran una superficie plana infinitamente grande –lo que los matemáticos llaman un **plano**– sin encimarlas ni dejar espacios vacíos. El resultado es una especie de rompecabezas que se alarga hasta el infinito.

Nadie sabe cuántas combinaciones diferentes de figuras pueden llenar un plano. Existe un gran número de posibilidades, pero sólo se han identificado y catalogado completamente las formas más simples.

Supón que empiezas con figuras de lados rectos, llamadas **polígonos**. Un **polígono regular** tiene todos sus lados y todos sus ángulos iguales. Por ejemplo, un cuadrado es un polígono regular de cuatro lados con ángulos de 90 grados, mientras que el triángulo equilátero es un polígono regular de tres lados con ángulos de 60 grados. Un pentágono regular tiene cinco lados, y cada ángulo formado por dos lados adyacentes mide 108 grados.

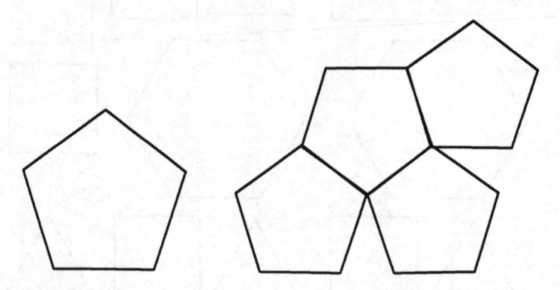

Un pentágono regular tiene cinco lados de la misma longitud y cinco ángulos interiores iguales (izquierda). Las teselas de esta figura no pueden empalmarse sin encimarse o dejar huecos (derecha).

Ciudad Tablero de Ajedrez, Terraza de Triángulos y Refugio Panal son ejemplos de cómo pueden empalmarse cuadrados, triángulos equiláteros y hexágonos regulares para cubrir superficies planas. Sin embargo, si intentaras utilizar pentágonos regulares, terminarías con espacios vacíos en tu diseño. De hecho, sólo hay tres maneras de cubrir un plano con un solo tipo de polígono regular.

El siguiente paso es examinar los diseños en los que dos o más polígonos regulares puedan empalmarse, esquina con esquina, de tal manera que las mismas figuras, en el mismo orden, rodeen cada esquina o **vértice**. Existen exactamente ocho maneras de lograrlo utilizando varias combinaciones de triángulos, cuadrados, hexágonos, octágonos y dodecágonos (polígonos de doce lados). Cualquiera de estas ocho combinaciones forman atractivos diseños para el piso de tu casa.

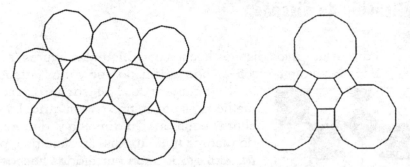

Dos de las ocho formas para empalmar diferentes tipos de polígonos regulares incluyen dodecágonos. Uno de los diseños requiere dodecágonos y triángulos (izquierda) y el otro dodecágonos, cuadrados y hexágonos (derecha).

Si introduces una ligera modificación en las reglas para elaborar el diseño de tal modo que puedas usar otras figuras y combinaciones, te darás cuenta de que existe un número infinito de posibilidades.

Por ejemplo, establezcamos que los polígonos no tienen que ser regulares. Al levantar la restricción de que todos los lados deben tener el mismo largo y de que todos los ángulos entre los lados deben medir lo mismo, podrás cubrir una superficie con ciertos tipos de pentágonos, aunque no puedas hacerlo con pentágonos regulares.

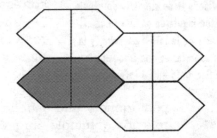

Al dividir a la mitad un hexágono alargado se obtienen dos pentágonos, como se muestra en la sección sombreada. A diferencia de los pentágonos regulares, estos pentágonos se pueden utilizar para formar un diseño de figuras en un plano.

• • •
19

Panales

Las abejas hacen una rejilla de celdas hexagonales cuando moldean la cera para construir los panales donde almacenarán la miel. Hoy, los matemáticos han demostrado que una rejilla hexagonal representa la mejor forma de dividir una superficie en áreas iguales con el **perímetro** (medida del contorno) total más pequeño. Cuando se trata de utilizar la cera, ¡las abejas ciertamente saben cómo economizar!

Clasificación de diseños

Para estudiar los diseños hechos con diferentes figuras (es decir, los teselados), los matemáticos los han clasificado en varias categorías.

Una manera de clasificar los diseños de figuras geométricas es por su tipo de **simetría**. La simetría suele incluir el equilibrio, la armonía y la proporción. Un tablero de ajedrez tiene un diseño simétrico, pero no las pinturas elaboradas con pinceladas hechas al azar. Muchos elementos de la naturaleza son simétricos, desde flores y peces hasta cristales y hojas.

Existen muchos tipos diferentes de simetría. Un diseño tiene simetría de espejo, o de reflejo, si al doblarlo a lo largo de una línea todos los puntos que quedan en un lado del doblez coinciden exactamente con los puntos correspondientes en el otro lado del doblez.

Este diseño tiene simetría de espejo. La mitad izquierda es una imagen especular de la mitad derecha, y la mitad superior es una imagen especular de la mitad inferior.

Un diseño tiene simetría de rotación si al calcarlo y rotarlo menos de un ciclo completo alrededor de un punto la calca coincide con el diseño original. Un pentágono y una estrella de mar tienen simetría de rotación quíntuple porque se pueden rotar una quinta parte de una vuelta completa sin cambiar su apariencia. Un triángulo equilátero tiene triple simetría de rotación.

Muchos teselados simétricos también son **periódicos**, lo que significa que un diseño básico compuesto por una o más figuras se repite en el teselado comple-

El diseño que está adentro del cuadrado tiene triple simetría de rotación. Al girar la figura 120 grados (una tercio de vuelta) se obtiene un diseño igual al original.

to. Los matemáticos han encontrado que existen diecisiete tipos diferentes de simetría en los diseños de figuras que se repiten periódicamente. Estos diseños periódicos se pueden encontrar en obras artísticas del mundo entero: desde los intrincados diseños ornamentales de los edificios islámicos hasta los diseños geométricos de los textiles africanos.

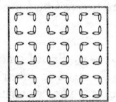   

Estos ejemplos representan cuatro de los diecisiete tipos diferentes de simetría posible en un diseño repetido de papel tapiz.

Teselas especiales

El diseño de la Plaza Penrose, formado por rombos anchos y angostos, es un ejemplo del teselado de Penrose. Recibe su nombre por el físicomatemático Roger Penrose, quien, en la década de 1970, descubrió una manera de ensamblar dos figuras relacionadas, a las que llamó "cometas" (papalotes) y "flechas", en diseños que cubren una superficie plana sin dejar espacios vacíos.

Lo que hace especiales el diseño de rombos y el de cometas y flechas es que no son periódicos. No se repiten en intervalos regulares, por lo que son irregulares. Como dato interesante, las figuras o teselas en ambos tipos de diseño tienen dimensiones que se relacionan con la razón áurea (revisa la Aventura 1). Por ejemplo, la distancia que hay desde el extremo puntiagudo hasta el extremo romo de una figura en forma de cometa es igual a la distancia que hay desde la muesca a la punta de una figura en forma de flecha multiplicada por la razón áurea.

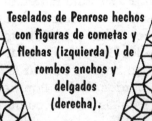

Teselados de Penrose hechos con figuras de cometas y flechas (izquierda) y de rombos anchos y delgados (derecha).

Penrose simplemente se entretenía cuando logró juntar por primera vez las figuras para formar un diseño no periódico. Varios años más tarde, los científicos descubrieron un grupo de extraños materiales, llamados "cuasicristales", formados por átomos de metales ordenados en un diseño inesperado. Los diseños de los teselados de Penrose dieron pistas a los científicos sobre cómo acomodar los átomos para crear una estructura ordenada pero sin repeticiones.

Teselados que cobran vida

Los teselados no tienen que limitarse a los polígonos. Muchos de los dibujos de M. C. Escher, artista holandés que vivió de 1898 a 1972, contienen fascinantes diseños con figuras en forma de aves, peces, reptiles u otros seres vivos.

Desde joven, Escher sintió la urgencia irresistible de llenar estéticamente los espacios con piezas pequeñas. Su materia favorita en la escuela era Dibujo, y después de graduarse se convirtió en artista gráfico. Cuando tenía 24 años visitó España y descubrió los intrincados diseños de mosaicos de la Alhambra, un palacio morisco del siglo XIII que se encuentra en Granada. Esos diseños lo inspiraron para crear los enigmáticos teselados que aparecen en su arte.

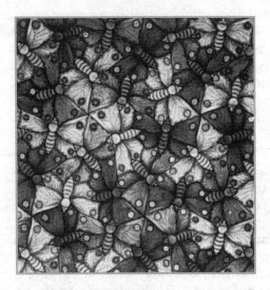

M. C. Escher, artista gráfico, creó este diseño de mariposas en 1948.

Doris Schattschneider, profesora de matemáticas en el Moravian College de Bethlehem, Pennsylvania, estudió el arte de Escher. Al examinar los apuntes de Escher, encontró que el artista había elaborado su propio sistema matemático para clasificar los diseños. Los símbolos que utilizó describían cuál era la relación recíproca que existía entre los bordes de una tesela con los bordes de las figuras adyacentes. Este sistema le permitió descubrir todas las formas diferentes en las que podía ensamblar y colorear varios diseños de figuras idénticas para crear diseños agradables a la vista.

"El interés de Escher no era clasificar los diseños existentes, sino aprender las reglas que los regían para poder crear sus propias divisiones regulares del plano", explica Schattschneider. El estudio de Escher de las figuras geométricas, combinado con su habilidad artística, fue la inspiración de muchos dibujos famosos, como *Mariposas*.

El Asteroide Icosaédrico

Estás de rodillas sobre el piso, acomodando un montón de triángulos y cuadrados en un caprichoso diseño, cuando volteas hacia arriba y ves a una niña que lleva una gorra de beisbol y una camiseta blanca de futbol con el número "21".

–¡Hola! ¿Qué haces?–, te pregunta cordialmente, como si estuvieran en casa y no en un asteroide extraño.

–Aquí, poniéndole mosaico al piso–, le contestas.

–Yo soy Anita–, dice. –Mi amigo Memo, el de allá, está buscando la Cancha de Buckybol–, agrega, señalando a un niño de piernas largas y cabello rizado que patea un balón de futbol soccer. Su camiseta tiene el número "34".

–¿Lo encontraste?–, le pregunta Memo a Anita mientras se acerca corriendo. –Sé que te parecerá loquísimo–, dice, –pero tenemos programado un partido de futbol soccer contra unos extraterrestres en la Cancha de Buckybol, pero no sabemos dónde está–.

–Yo creo que estamos en el asteroide equivocado–, dice Anita en un suspiro.

–Apuesto que podemos encontrarlo desde mi cápsula espacial–, les sugieres.

Pronto Anita, Memo y tú se encuentran viajando en la que solía ser tu habitación, navegado silenciosamente por el espacio.

Una figura muy puntiaguda aparece de repente en la pantalla de navegación. Mirándola más de cerca, te das cuenta de que tiene cuatro caras triangulares idénticas. Después aparecen otros objetos tridimensionales. Algunos tienen superficies triangulares, como el primero que viste, y otros están formados por cuadrados, hexágonos y otros polígonos.

–¡Miren! Uno de ellos tiene veinte triángulos–, dice Anita.

–Veo una buckypelota–, exclama Memo, señalando sobre la pantalla un objeto que parece un balón de futbol soccer. –¡Rápido! ¡haz clic en ella!–

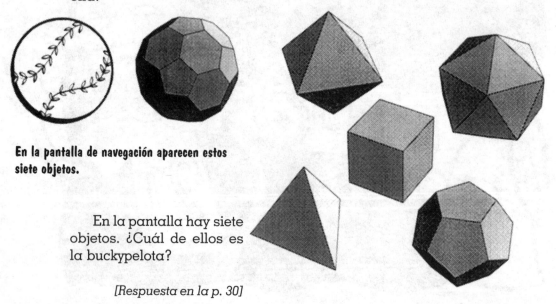

En la pantalla de navegación aparecen estos siete objetos.

En la pantalla hay siete objetos. ¿Cuál de ellos es la buckypelota?

[Respuesta en la p. 30]

• • •

24

¿Cuántas caras tienen los sólidos?

Las figuras que aparecen en la pantalla de tu cápsula espacial son ejemplos de figuras geométricas conocidas como sólidos. Los sólidos tienen tres dimensiones: largo, ancho y alto. Muchos sólidos, desde las pirámides y los dados hasta las pelotas de beisbol y las cajas de cereal, tienen formas que pueden describirse en términos geométricos sencillos.

Un sólido formado por polígonos que circunscriben una región particular del espacio se llama **poliedro**. Cinco de las siete figuras que aparecen en tu pantalla tienen superficies formadas por polígonos regulares idénticos que se unen en cada esquina, o vértice, exactamente de la misma manera.

Un tetraedro regular tiene cuatro caras, cada una de las cuales es un triángulo equilátero. Así luciría un tetraedro si se recortara y se desdoblara en una figura plana.

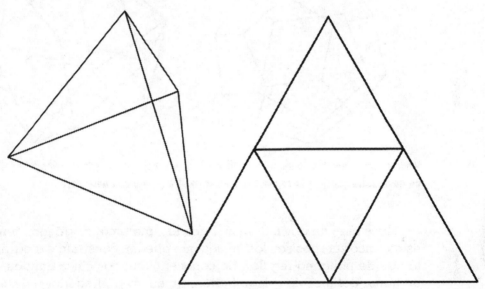

Un tetraedro regular (vista completa a la izquierda, y vista recortada y abierta a la derecha) tiene cuatro caras, cada una de ellas en forma de triángulo equilátero.

Un cubo, o hexaedro regular, tiene seis caras cuadradas. Un octaedro tiene una superficie que consta de ocho triángulos equiláteros. Un dodecaedro se compone de doce pentágonos. Si lo recortaras en dos partes iguales, cada parte tendría la apariencia de una flor de cinco pétalos en forma de pentágono alrededor de un pentágono central. Un icosaedro tiene veinte superficies planas, cada una de las cuales es un triángulo equilátero.

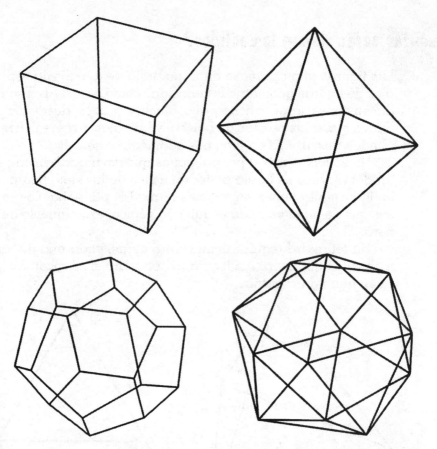

Modelos transparentes de un cubo (arriba a la izquierda), un octaedro (arriba a la derecha), un dodecaedro (abajo a la izquierda) y un icosaedro (abajo a la derecha).

Hace más de dos mil años, Euclides, matemático griego, demostró que estos cinco cuerpos son los únicos que pueden construirse a partir de un solo tipo de polígono regular. Se conocen como los cinco **sólidos de Platón**, en honor del filosofo griego Platón, quien vivió alrededor del año 400 a.C. Sin embargo, los griegos no fueron los primeros en estudiar estas figuras. Existe evidencia de que los chinos y los bretones los conocieron mucho antes que Platón.

Platón pensaba que el mundo estaba hecho de diminutas partículas formadas por cuatro elementos: fuego, aire, agua y tierra. Cada partícula tenía la forma de un poliedro regular. El fuego, el elemento más ligero e incisivo, era un tetraedro. La tierra, el elemento más estable, estaba formada por cubos. El agua, el elemento más movedizo, era un icosaedro, el sólido regular que probablemente rodaría con mayor facilidad. El aire era un octaedro, y el dodecaedro representaba el universo entero.

Descubre la interesante relación que existe entre los vértices, las aristas y las caras de un poliedro.

QUÉ NECESITAS
- hoja de papel
- lápiz
- regla
- un objeto en forma de cubo; por ejemplo, un dado, un cubo de plástico de juguete o una caja
- de ser posible, un tetraedro y otros ejemplos de poliedros (puedes construir tu propio tetraedro y otros poliedros utilizando palillos de dientes para representar las aristas y bolitas de plastilina en los vértices para mantenerlos unidos)
- balón de futbol soccer

QUÉ HACER
1. Divide la hoja de papel en cuatro columnas.
2. Etiqueta los encabezados de cada columna tal como se muestra a continuación:
   Nombre del sólido Caras (C) Vértices (V) Aristas (A)
3. En la columna "Nombre del sólido", escribe CUBO.
4. Cuenta el número de caras del cubo y anota el total en la columna "C".
5. Cuenta el número de vértices y anota el total en la columna "V".
6. Cuenta el número de aristas y anota el total en la columna "A".

7. Anota la misma información para cada poliedro que tengas a la mano, incluyendo el balón de futbol soccer.

8. Examina la información de tu tabla y encuentra una relación entre el número de vértices, caras y aristas. *Pista:* intenta sumar o restar varias combinaciones de V, C y A.

La relación que estás buscando fue descubierta por Leonhard Euler, matemático suizo del siglo dieciocho. La regla aplica para muchas clases de poliedros. ¿Podrías utilizarla para calcular cuántas aristas tiene un sólido de ocho caras y doce vértices?

[Respuesta en la p. 104]

La asombrosa buckypelota

Una de las siete figuras que viste en la pantalla de la cápsula espacial es un **icosaedro truncado**. Un icosaedro regular está formado por veinte triángulos equiláteros que se unen en doce puntos, o vértices. Para formar un icosaedro truncado, cada vértice se recorta de tal manera que los doce vértices se convierten en doce pentágonos y los veinte triángulos equiláteros se convierten en veinte hexágonos. La figura resultante tendrá veinte hexágonos y doce pentágonos en su superficie, para un total de treinta y dos caras.

La geometría tridimensional es muy útil para describir la disposición de átomos en diferentes materiales. Los átomos de carbono, por ejemplo, pueden disponerse en un diseño que se asemeja a un montón de tetraedros cuidadosamente apilados. Con esta disposición, los átomos de carbono forman diamantes, uno de los materiales más duros que se conocen. Por el contrario, cuando los átomos de carbono se encuentran dispuestos en anillos hexagonales unidos entre sí para formar extensas láminas, forman grafito, un material suave que se utiliza en la fabricación de lubricantes y lápices. La apariencia de los diseños hexagonales es como la rejilla de panal que descubriste en la Aventura 2.

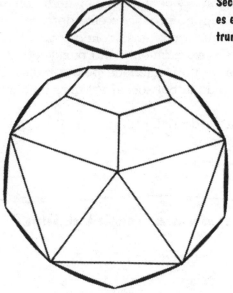

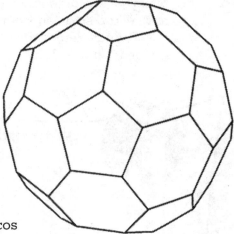

En la década de 1980, los científicos descubrieron moléculas de carbono en forma de icosaedros truncados. Cada molécula está formada por sesenta átomos de carbono. A esta molécula se le dio el nombre de *buckminsterfullerano*, en honor a R. Buckminster Fuller, ingeniero, matemático y arquitecto que estudió y diseñó edificios con una estructura similar. Ahora, los científicos acostumbran llamar a estas moléculas de carbono *buckyballs*.

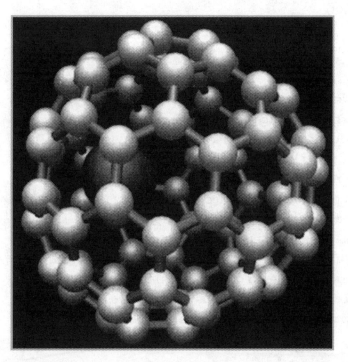

Si cuentas el número de hexágonos y pentágonos en un balón de futbol soccer, te darás cuenta de que, cuando practicas este deporte, estás pateando un icosaedro truncado, al que también se conoce como buckypelota, o **buckyball**. (En realidad, no es exactamente una buckypelota, ya que los pentágonos y los hexágonos de una auténtica pelota matemática de buckybol son planos. En un balón de futbol soccer están redondeados para que la pelota sea esférica.)

¿Podrías demostrar que la regla de Euler (página 104) se aplica a un icosaedro truncado?

Utiliza papel y tijeras para hacer tu propia buckypelota.

QUÉ NECESITAS
- una copia fotostática de la figura de la página 31 (el papel normal de una fotostática está bien, pero si utilizas un papel un poco más grueso o cartulina será mejor)
- tijeras
- cinta adhesiva

QUÉ HACER
1. Recorta la figura siguiendo el contorno.
2. Siempre que veas dos hexágonos con una arista en común, dobla el papel a lo largo de ella. Asegúrate de hacer todos los dobleces en la misma dirección.
3. Descubrirás que tu figura plana fácilmente adopta la forma de un objeto esférico, con anillos hexagonales alrededor de los pentágonos.
4. Con cinta adhesiva, une las aristas que se tocan, ¡y tendrás tu icosaedro truncado! A medida que lo vayas ensamblando, recuerda que no deben tocarse directamente dos pentágonos. Además, cada vértice deberá ser compartido por dos hexágonos y un pentágono.

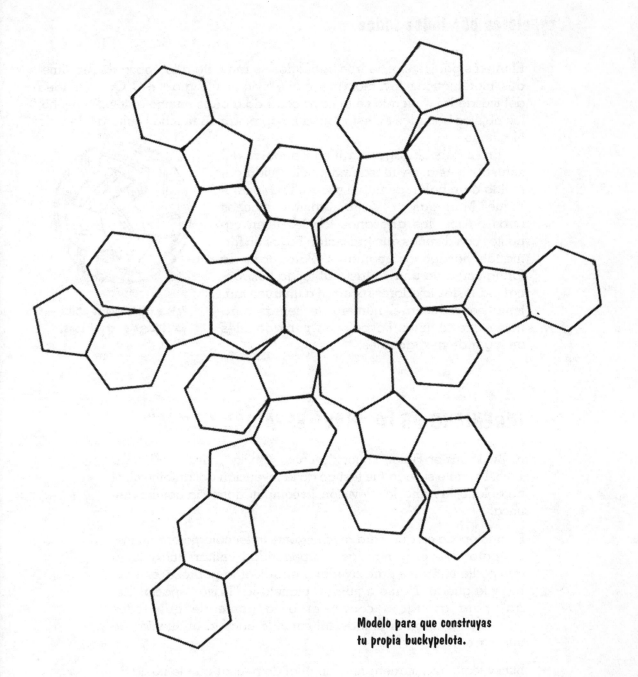

**Modelo para que construyas
tu propia buckypelota.**

Buckypelotas por todos lados

El interés por los icosaedros truncados se remonta a la época de Arquímedes, matemático e inventor griego que vivió en el siglo III a.C. Quizá la idea del icosaedro truncado se le haya ocurrido a otros mucho antes. De hecho, los objetos basados en esta forma se aprecian en muchas culturas de todo el mundo.

En el *sepack raga*, un juego popular del sureste de Asia, se utiliza una pelota tejida parecida a un balón de futbol soccer. En Mozambique, Madagascar, Zaire, Brasil y muchos otros países, los artesanos locales tejen canastos con diseños que presentan hoyos en forma de hexágonos regulares. Para darle la forma curva de una canasta al tejido hexagonal plano, los tejedores recurren a un truco matemático: reducen el número de hebras para hacer que algunos hoyos sean pentagonales en lugar de hexagonales.

Pelota tejida que se utiliza en el juego de sepak raga.

INGENIERO DE LA "NAVE ESPACIAL TIERRA"

R. Buckminster Fuller, conocido como "Bucky", vivió de 1895 a 1983. Durante su vida fue testigo de la invención del automóvil, el aeroplano, la radio, la televisión, la computadora y la bomba atómica.

En una época en que para mucha gente la tecnología era un medio para obtener ganancias y superioridad militar, Bucky creía que podía utilizarse para ayudar a erradicar la pobreza, el hambre y la guerra. Llamó a nuestro planeta la "Nave Espacial Tierra" para ayudar a convencer a la gente de que todos necesitamos trabajar unidos, tal como lo hace la tripulación de una nave.

Bucky tenía una manera muy original de pensar que le hacía difícil encajar en el orden establecido. Fue expulsado dos veces de la Universidad de Harvard. La primera vez, su familia lo envió a Canadá a trabajar en una planta procesadora de algodón como aprendiz de mecánico, con la esperanza de que se hiciera más maduro y responsable. En la planta se volvió un experto en la construcción, instalación y reparación de maquinaria compleja, por lo que Harvard lo invitó a regresar. La segunda vez fue expulsado por "no mostrar suficiente interés en sus estudios". Bucky se fue a trabajar a una fábrica de embutidos y nunca terminó sus estudios universitarios.

Durante la Primera Guerra Mundial sirvió como oficial de la Marina en un barco de comunicaciones inalámbricas y aeronaves. Gracias a sus conocimientos de mecánica y a su ingenio, diseñó un sistema para rescatar pilotos que habían sido derribados sobre el mar. La Marina lo recompensó dándole la oportunidad de estudiar en la Academia Naval de Estados Unidos, en Annápolis, donde disfrutó de cursos que iban más allá de la teoría académica y trataban la realidad de las comunicaciones globales, los viajes aéreos y la logística. Las habilidades que desarrolló serían muy importantes para su futuro trabajo como ingeniero, matemático y arquitecto.

Uno de sus proyectos posteriores fue examinar un sistema de geometría basado en el tetraedro, el cual lo llevó al innovador diseño arquitectónico que lo hizo ganar fama: el domo geodésico.

Geométricamente, un domo geodésico es una esfera con un corte en su parte inferior. Al igual que un icosaedro, una esfera geodésica clásica tiene veinte lados triangulares. Lo que la hace diferente de un icosaedro es el hecho de que sus triángulos son ligeramente curvos y cada triángulo está dividido en triángulos más pequeños. Las esquinas de todos estos triángulos más pequeños están a la misma distancia del centro de la esfera.

A diferencia de los edificios convencionales, el domo geodésico de Fuller se hace más resistente, ligero y barato por unidad de volumen conforme aumenta su tamaño. Encierra el mayor volumen posible de espacio utilizando el área superficial más pequeña posible.

En una esfera geodésica, cada cara está subdividida en triángulos.

Desde que Bucky patentó su diseño en 1947, se han construido más de 200 000 domos geodésicos en todas partes alrededor del mundo, desde la montaña más alta hasta el Polo Sur. Son las estructuras más fuertes jamás inventadas y las más resistentes a daños causados por huracanes y sismos.

Pabellón estadounidense (arriba) en la Expo '67 en Montreal. Era una versión de 60 metros (200 pies) de altura del domo geodésico de Buckminster Fuller. El acercamiento muestra las unidades hexagonales que forman la mayor parte de su superficie. El domo es ahora un museo público llamado la Biosfera.

El campo de beisbol alienígena

Adivinanza: ¿Por qué no hay Aventura 4?

Respuesta: Porque el cuatro no es un número de Fibonacci.

Tomas el *mouse* de la computadora y estás a punto de hacer clic en la buckypelota. ¡Caramba! El *mouse* se resbala y sin querer haces clic en un objeto diferente. Tu nave espacial se aproxima rápidamente a lo que parece ser una pelota gigante de beisbol.

–¡Estamos aterrizando en un asteroide!–, exclama Memo.

–¿Qué es eso?–, pregunta Anita, señalando por la ventana hacia unas marcas en el suelo. –¡Parece un diamante de beisbol!–

–¡Qué extraño diamante!–, dice Memo. –Las líneas de las bases se ven curveadas–.

Cuando los tres bajan de la nave, una figura alta y muy delgada se aproxima.

–Oigan, llegan tarde al partido–, dice el alienígena.

Miras estupefacto esta extraña figura que guarda una asombrosa semejanza con el número "1".

–Vamos–, dice la figura, y los conduce hasta el peculiar diamante de beisbol. –En este juego se enfrentan los Dígitos contra los Terrícolas; les toca batear primero–.

Cuando el dígito alto y delgado se dirige a la primera base, miras otra extraña figura parada cerca de la segunda base: una criatura alienígena que se parece al número "2". Es más, hay un "3" parado en la tercera base, un "4" detrás del plato, un "5" en el terreno del parador en corto y un "6" en el montículo del lanzador. Aunque los jardines parecen desaparecer más allá del horizonte, alcanzas a distinguir la parte superior de un "7" en el jardín izquierdo. En el jardín central ves la parte superior de un "8", y el jardinero derecho parece ser un "9".

–Tú primero–, dice Anita, mientras recoge un bat y te lo ofrece.

El primer lanzamiento es lento y fácil, y conectas la pelota con un golpecito. Es un rodado que se dirige directamente hacia la tercera base. Sin embargo, antes de que puedas correr, la pelota curvea y termina saliendo por la línea lateral. ¡Qué *faul* tan injusto!

Le pegas al siguiente lanzamiento, enviando la pelota hacia el jardín central. Sin embargo, en lugar de caer en el terreno, la pelota sigue avanzando en el aire hasta desaparecer en el horizonte. Corres las bases y te preguntas por qué no tienes que dar mucha vuelta en cada esquina. Cuando te acercas al plato, la pelota que habías bateado reaparece detrás de la malla de protección, apenas se le escapa al receptor y vuela sobre el campo por segunda vez.

¿Qué clase de figura es el diamante de beisbol? ¿Por qué no cae al suelo la pelota?

[Respuestas a continuación]

Líneas sobre una esfera

Aunque en términos generales la Tierra es esférica, su curvatura no afecta la forma de, por ejemplo, un diamante de beisbol o un camino recto, debido al gran tamaño del planeta.

Sin embargo, si tuvieras que trazar una ruta aérea de París a Nueva York utilizando el camino más corto posible, tendrías que tomar en cuenta la curvatura de la Tierra. Las reglas de la geometría para superficies planas dejarían de ser aplicables. En un asteroide pequeño, la curvatura de la esfera podría afectar incluso la forma de un diamante de beisbol.

En una superficie plana, el camino más corto entre dos puntos es una línea recta. ¿Cuál es el camino más corto entre dos puntos en una superficie esférica?

[Respuesta a continuación]

Explora una superficie esférica para encontrar la distancia más corta entre dos puntos.

QUÉ NECESITAS
- pelota de beisbol o de tenis
- tres ligas

Cómo colocar las ligas alrededor de la pelota.

QUÉ HACER

1. Estira una de las ligas alrededor de la pelota para formar la curva, o anillo, más grande posible.

2. Estira otra liga alrededor de la pelota en un ángulo diferente, formando otra vez la curva más grande posible. Las dos ligas deben cortarse en dos puntos diferentes sobre la pelota. Los dos puntos donde se corten deben estar opuestos el uno al otro, como los polos norte y sur en la Tierra.

• • •

3. Estira la tercera liga alrededor de la pelota, formando nuevamente la curva más grande posible, y busca dónde corta las dos primeras curvas. Experimenta poniendo la liga en diferentes posiciones para ver cómo puede cortar las dos primeras curvas de diferentes maneras.

4. Escoge dos puntos cualesquiera donde las ligas se corten. La distancia más corta entre ellos sobre la superficie de la pelota estará sobre la liga que conecta a los dos puntos.

Grandes círculos y grandes ángulos

Las trayectorias circulares formadas por las ligas alrededor de una pelota se llaman **grandes círculos**. Si cortaras una pelota exactamente a la mitad, el borde del corte sería un gran círculo. En la Tierra, un ejemplo geográfico de un gran círculo es el ecuador. Las líneas de longitud geográfica son grandes círculos que se cortan en el Polo Norte y en el Polo Sur. Los grandes círculos son los círculos más grandes de todos los que pueden dibujarse sobre la superficie de una esfera.

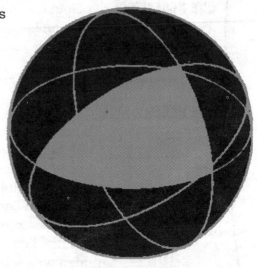

Tres grandes círculos dividen la superficie de una esfera en varias regiones, como el triángulo que se muestra.

La distancia más corta entre dos puntos localizados sobre una esfera está sobre el arco de un gran círculo que une los dos puntos. Sobre cualquier superficie tridimensional, incluyendo la esfera, la distancia más corta entre dos puntos se llama la **distancia geodésica**. Para calcular la distancia geodésica entre dos puntos cualesquiera marcados sobre una pelota de beisbol o de tenis, simplemente estira la liga alrededor de la pelota para formar un gran círculo que pase sobre ambos puntos.

En un diamante de beisbol sobre un asteroide esférico pequeño, las líneas que delimitan el campo de juego serían arcos de grandes círculos. A esto se debe que dichas líneas terminan siendo curvas.

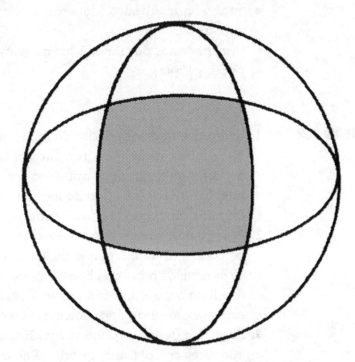

Cuatro grandes círculos se cortan para formar un cuadrado.

Las líneas del campo curvas no son lo único extraño en un diamante de beisbol localizado en un asteroide. Si tuvieras que medir los ángulos de las cuatro esquinas del diamante de beisbol, obtendrías un resultado sorprendente. En una superficie plana, los ángulos miden 90 grados, pero en una superficie esférica no es así. Aún más, la suma de los cuatro ángulos es de 360 grados en un diamante plano de beisbol, pero no en una esfera. ¿Cuánto miden los ángulos?

[Respuesta a continuación]

Usa grandes círculos para hacer un diamante de beisbol esférico y mide los ángulos.

QUÉ NECESITAS
- un balón de futbol soccer u otro objeto esférico de tamaño similar
- cuatro ligas grandes (deberán servir para rodear la esfera)
- transportador para medir los ángulos
- papel y lápiz

QUÉ HACER

1. Estira dos ligas alrededor de la esfera de tal modo que ambas formen un gran círculo. Los círculos se cortarán en dos puntos opuestos sobre la pelota. Intenta colocar las ligas de manera que formen ángulos aproximados de 90 grados.

2. Agrega una tercera liga formando un gran círculo, pero sin que corte ninguno de los dos puntos en donde se cruzan las otras dos ligas. Las tres ligas deberán dividir la superficie de la pelota en seis triángulos (por supuesto, los triángulos son curvos, no planos).

3. Elige uno de los triángulos y mide sus tres ángulos interiores con el transportador. Anota las mediciones.

4. Suma las tres mediciones que anotaste. Los ángulos de un triángulo plano siempre suman 180 grados. En una esfera de un tamaño dado, la suma de los ángulos depende del tamaño del triángulo. ¿El resultado que obtuviste es mayor o menor que 180 grados?

5. Agrega una cuarta liga, colocándola de tal modo que forme un gran círculo y al menos un polígono de cuatro lados que se aproxime a la forma de un diamante de beisbol.

6. Mide los cuatro ángulos interiores del "diamante de beisbol" del paso 5. Anota las mediciones.

7. Suma las medidas de los cuatro ángulos. En un diamante de beisbol plano de cuatro lados, los ángulos suman 360 grados. ¿El total que obtuviste es mayor o menor que 360 grados?

[Respuesta en la p. 105]

En lugar de utilizar grandes círculos, comienza con un cuadrado plano para medir los ángulos de un diamante de beisbol esférico.

QUÉ NECESITAS
- un balón esférico (no ovalado) sin aire
- bolígrafo o marcador
- regla
- transportador

QUÉ HACER
1. Utiliza la regla para trazar un cuadrado sobre el balón.
2. Mide los ángulos del cuadrado con el transportador para asegurarte de que miden 90 grados.
3. Infla el balón.
4. Repite los pasos 6 y 7 de la actividad anterior.

[Respuesta en la p. 105]

Grandes círculos en el futbol soccer

Analiza los lados de los pentágonos y los hexágonos de un balón de futbol soccer. Intenta cubrirlos con ligas grandes. ¿Todas las líneas de los "lados" del balón son arcos de grandes círculos?

[Respuesta en la p. 105]

Miniacertijo

Un piloto vuela 100 kilómetros hacia el sur, después recorre 100 kilómetros hacia el este, y luego 100 kilómetros hacia el norte. Su punto de llegada es exactamente el punto donde comenzó su viaje. ¿Cuál fue su punto de partida? (*Pista*: estudia un globo terráqueo).

[Respuesta en la p. 105]

● ●

ESFERILANDIA

Los pilotos y los despachadores de vuelos que deben cubrir grandes distancias de un lado a otro del globo tienen que considerar la forma de la Tierra en sus cálculos. La ruta más corta de Nueva York a Tokio, por ejemplo, no es dirigirse directamente de este a oeste sobre una línea de latitud, sino que de hecho sigue un gran círculo que pasa cerca del Polo Norte. Dibujada sobre un mapa plano, esta ruta podría verse curva, ¡pero en realidad es una atajo para pilotos y pasajeros!

De hecho, la geometría esférica juega un papel importante no sólo en la navegación sino también en muchos otros campos. En matemáticas, está presente en trigonometría, topología, cálculo infinitesimal y otras áreas. La geometría esférica también tiene aplicaciones en física, química, cristalografía, ciencias de la Tierra, astronomía, arte, técnicas de dibujo, diseño industrial e ingeniería. No sería posible poner un satélite en órbita alrededor de la Tierra ni enviar una nave espacial a Marte sin comprender la geometría esférica.

● ●

Por qué puede orbitar una pelota de beisbol

Imagínate que estás parado en la cima de una montaña, la más alta del mundo, y disparas una bala en dirección horizontal. La bala viajaría en un arco, cayendo en una trayectoria curva conforme se fuera alejando a gran velocidad de la montaña hasta que finalmente llegaría al suelo, atraída por la fuerza de gravedad.

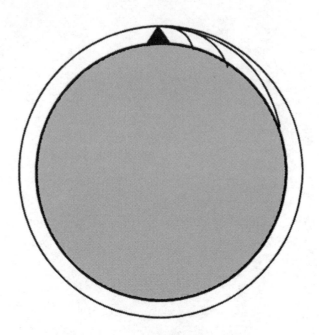

Una bala disparada horizontalmente desde una
montaña terminará por caer al suelo, a menos
que su velocidad inicial fuera lo suficientemente
rápida como para ponerla en órbita.

Una bala relativamente lenta llegaría al suelo cerca de la montaña. Balas más rápidas podrían llegar más lejos. Si una bala fuera lo suficientemente rápida, podría darle una vuelta completa a la Tierra. Como si fuera una pequeña luna o satélite, daría vueltas en su órbita circular una y otra vez. (Asegúrate de agacharte antes de que le dé la vuelta al globo y te golpee por la espalda.)

Al utilizar las leyes de la física formuladas por el científico inglés Isaac Newton hace más de trescientos años, es posible calcular la velocidad necesaria para que un objeto, como una bala o una nave espacial, entre en órbita alrededor de la Tierra o de cualquier otro cuerpo esférico. La velocidad depende de la distancia del objeto con respecto al centro de la esfera y de la aceleración causada por la gravedad. Un satélite que orbitara apenas encima de la superficie terrestre, tendría que viajar a una velocidad cercana a los 8 kilómetros por segundo para mantenerse en órbita.

Una pelota de beisbol lanzada suavemente se mueve a unos 10 metros por segundo. Una pelota golpeada con fuerza puede alcanzar una velocidad de 40 metros por segundo o más. ¡Esta velocidad es más que suficiente para que la pelota entre en órbita alrededor de un asteroide pequeño!

• • •

La ciclopista de topes

Acertijo: ¿Por qué no hay Aventuras 6 y 7?
Respuesta: Sólo números de Fibonacci, por favor.

ALMACÉN DE BICICLETAS: ESCOGE TUS RUEDAS

—Si creíste que el campo de beisbol era raro, ven y mira nuestras carreteras y caminos–, dice el alienígena alto y delgado que estuvo jugando de primera base.

Anita, Memo y tú son conducidos por el equipo de nueve Dígitos hacia un camino hecho de topes.

—¿Cómo le hacen los Dígitos para caminar por aquí?–, les preguntas, tratando de mantener el equilibrio.

—Casi nunca caminamos–, dice Dígito Uno, el alienígena alto y delgado, con una sonrisa de oreja a oreja. –Utilizamos nuestras bicicletas–.

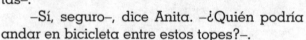

—Sí, seguro–, dice Anita. –¿Quién podría andar en bicicleta entre estos topes?–.

—Echen un vistazo a nuestras bicicletas–, dice Dígito Uno, señalando hacia una cabaña cercana con un letrero.

Dígito Cuatro abre la puerta, dejando ver varias bicicletas con una apariencia por demás extraña. –¿Por qué no dan un paseo en bicicleta?–, dice el alienígena dirigiéndose a ustedes tres. –Les sorprenderá lo tranquilo que puede ser el paseo si la bicicleta se adapta al camino–.

Cuatro tipos de ruedas para bicicleta: redonda (arriba a la izquierda), elíptica (arriba a la derecha), cuadrada (abajo a la izquierda), en forma de estrella (abajo a la derecha).

La primera bicicleta que ves parece normal, pero la que está junto tiene ruedas que se ven como círculos aplanados, o elipses. La tercera bicicleta tiene las ruedas cuadradas. Inclusive hay una con las ruedas en forma de estrella.

¿En cuál de estas cuatro bicicletas será más cómodo viajar sobre un camino hecho de topes?

[Respuesta a continuación]

Llantas desinfladas

A nadie le gusta andar en una bicicleta con una llanta desinflada. Irías dando tumbos y no llegarías muy lejos, además de que el rin metálico de la llanta terminaría arruinado. Sin embargo, si el propio camino tuviera topes espaciados uniformemente justo de la forma adecuada, ¡las llantas desinfladas podrían ser el secreto para un viaje sin sobresaltos!

Por increíble que parezca, los topes de los caminos alienígenas son la forma perfecta para viajar con suavidad en una bicicleta con ruedas cuadradas. Sin embargo, no puede ser cualquier vieja bicicleta con ruedas cuadradas. Cada lado de las llantas cuadradas debe tener la longitud correcta para adecuarse al tope, y el tamaño de la llanta debe ser proporcional a la altura de los topes.

Los topes del camino alienígena tienen la forma de catenarias invertidas. Una catenaria es una figura especial, que se forma cuando un cable o una cuerda cuelga libremente entre dos soportes.

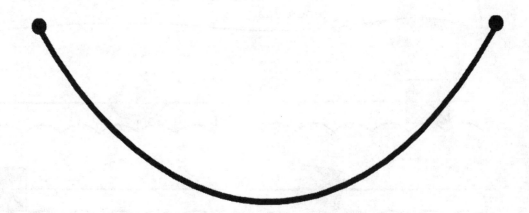

Una cuerda colgada, sujeta en sus dos estremos, forma una catenaria.

AHORA **tú**

Construye tu propia catenaria invertida.

QUÉ NECESITAS
- un trozo de cordón, cable o cadena de aproximadamente 25 centímetros (10 pulgadas) de largo
- hoja de papel

QUÉ HACER

1. Sostén un extremo de la cuerda con la mano izquierda y el otro extremo con la mano derecha, ambas a la misma altura.
2. Deja que la cuerda cuelgue libremente entre tus manos. ¡Has formado una catenaria!
3. Con mucho cuidado, colócala sobre la hoja de papel, sin cambiar la forma de la cuerda.
4. Gira la hoja para que la cuerda forme una U invertida.

Ahora puedes dibujar la sección transversal de cada tope del camino alienígena. Una serie de estos topes formados en una fila sería la superficie perfecta en la que podrías andar en una bicicleta con ruedas cuadradas.

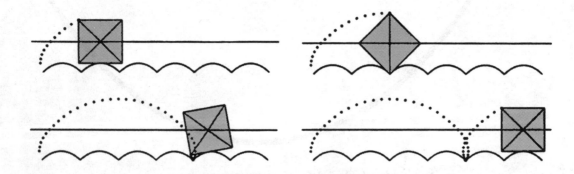

Cómo rueda una llanta cuadrada sobre un camino que es una serie de catenarias invertidas.

CURIOSO PASEO EN TRICICLO

Stan Wagon, matemático del Macalester College en St. Paul, Minnesota, construyó un auténtico triciclo con ruedas cuadradas para conducirlo sobre un camino de catenarias invertidas. Wagon se enteró por primera vez de las ruedas cuadradas en una exhibición en el Exploratorium de San Francisco, California. En la exposición se mostraba un par de ruedas cuadradas unidas por un eje que se desplazaban por un camino de catenarias invertidas. Intrigado por la demostración, Wagon decidió construir una bicicleta con ruedas cuadradas que pudiera conducir él mismo.

"Al ver que podía construirse, sentí la necesidad de hacer una", dice Wagon. La bicicleta era difícil de construir, por lo que el resultado fue un triciclo bastante inusual. También tuvo que construir una superficie de catenarias invertidas sobre la que avanzaría el triciclo. El triciclo con ruedas cuadradas de Wagon se exhibe en el centro de ciencias del Macalester College.

"Funciona como una bicicleta normal, aunque es difícil manejarlo", dice Wagon. Si se le da demasiada vuelta al manubrio, las ruedas cuadradas pierden la sincronización con las catenarias invertidas.

El hecho de que tenga dos ruedas delanteras y una trasera facilita la conducción del triciclo en línea recta. Si fuera una bicicleta en lugar de un triciclo, sería necesario mover el manubrio de manera constante a fin de mantener el equilibrio, lo cual resulta difícil con ruedas cuadradas sobre un camino hecho de topes.

Triciclo de ruedas cuadradas de Stan Wagon en acción.

Construye un uniciclo de rueda cuadrada para un camino de catenarias invertidas.

· · · · · · · · · ·

QUÉ NECESITAS
- cuatro copias del dibujo de la catenaria invertida que se muestra abajo (pueden ser dibujos o copias fotostáticas)
- tijeras
- cinta adhesiva
- cuatro palillos de dientes, recortados de modo que tengan la misma longitud que el lado del cuadrado del dibujo

· · · · · · · · · ·

QUÉ HACER
1. Recorta y pega con cinta adhesiva las catenarias invertidas para formar un "camino" como el que se muestra abajo.

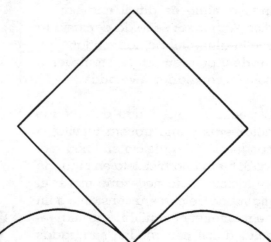

Adaptación de la longitud del lado de una rueda cuadrada con la longitud de las catenarias del camino.

2. Construye un cuadrado con los cuatro palillos, uniendo las esquinas con cinta adhesiva para obtener una rueda cuadrada.

3. Imagina que tu rueda cuadrada es un uniciclo y ruédalo a lo largo del camino de catenarias invertidas que hiciste.

CÓMO FUNCIONA El segmento de curva de cada catenaria tiene la misma longitud que los palillos de dientes, así que si inicias tu recorrido con una esquina del cuadrado al principio del camino, cada esquina terminará en un punto intermedio entre dos catenarias a medida que desplaces la rueda sobre el camino.

Caminos diferentes para ruedas diferentes

Resulta que las ruedas en forma de otros polígonos regulares, como pentágonos y hexágonos, también se desplazan sin sobresaltos sobre curvas hechas con catenarias invertidas. El número de lados del polígono afecta la forma del camino: a medida que aumenta el número de lados, los segmentos de catenaria se hacen más cortos y planos. Para un polígono con un número infinito de lados (que de hecho es un círculo), la mejor "curva" es una línea recta horizontal.

Sin embargo, las ruedas triangulares no funcionan. Cuando un triángulo rueda sobre una catenaria, terminará por atorarse en la siguiente catenaria.

Una rueda triangular no funcionaría porque sus picos se atorarían en las catenarias del camino.

Los matemáticos han encontrado caminos para otras formas de ruedas, por ejemplo, la elipse (que parece un círculo aplastado), una roseta (que parece una flor de cuatro pétalos) o una gema de arete en forma de lágrima. Incluso pueden partir de un tipo de camino y encontrar la figura que ruede con suavidad sobre él. Para un camino con forma de sierra, por ejemplo, se requiere una rueda que se forma al unir dos piezas de una espiral equiangular (una especie de combinación entre una flor y una estrella).

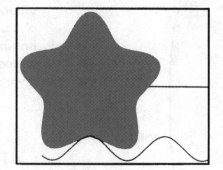

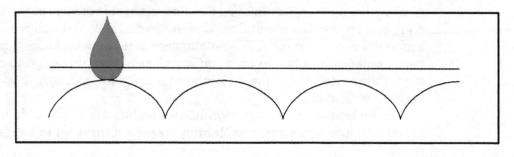

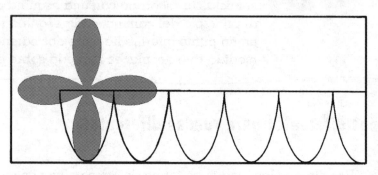

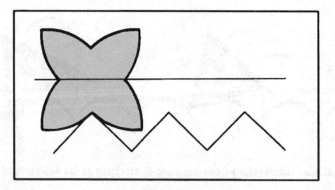

Varias combinaciones de la forma de la rueda y del tipo de camino permitirían transitar con suavidad.

Hasta ahora, nadie ha encontrado una combinación de rueda y camino en la que ambos tengan la misma forma. ¡Esto representa un reto fascinante para los matemáticos!

RODANDO CON REULEAUX

Una rueda circular no es la única que rodaría con suavidad en caminos horizontales y planos.

Considera el problema que plantea la fabricación de una tapa de alcantarilla cuya forma no permita que ésta caiga por el agujero de la calle. Una solución sería utilizar una tapa circular ligeramente más grande que el hoyo circular que cubrirá. La tapa no podrá deslizarse a través del agujero porque es más grande que éste, sin importar la manera en que la pongas. Un círculo tiene el mismo ancho por dondequiera que se le mire.

Por el contrario, un óvalo es más largo que ancho. Siempre podrás encontrar la manera de deslizar una tapa ovalada por un hoyo ovalado del mismo tamaño o que sea un poco más pequeño. Esto también es cierto para las tapas cuadradas y hexagonales.

¿El círculo es la única figura que funciona con seguridad como tapa de alcantarilla? ¿Es la única figura que rueda con suavi-

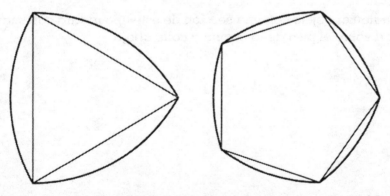

Ambas figuras de Reuleux, el triángulo (derecha) y el pentágono (izquierda), tienen lados curvos.

dad en superficies planas? ¡No! El triángulo de Reuleaux también funciona. Fue bautizado con ese nombre en honor del ingeniero Franz Reuleaux, quien era profesor en Berlín, Alemania, hace más de cien años.

En el botiquín del baño podrías encontrar un ejemplo del triángulo de Reuleaux. Si volteas de cabeza una botella de Pepto-Bismol®, la figura que verás se parece a un triángulo de Reuleaux. Si tratas de rodar una de estas botellas sobre su costado, descubrirás que lo hará con tanta suavidad como una botella redonda.

Una manera de dibujar un triángulo de Reuleaux es empezar con un triángulo equilátero, que tiene sus tres lados iguales. Después se coloca la punta de un compás en un vértice del triángulo y se extiende el otro brazo del compás hasta alcanzar otro vértice. Después se traza un arco entre los dos vértices del triángulo. Por último, se trazan otros dos arcos con centro en los otros vértices del triángulo.

Este "triángulo curvo", como lo llamó Reuleaux, tiene un ancho constante, al igual que un círculo. Puede rodar con suavidad sobre superficies planas, como una rueda circular.

De hecho, puedes hacer una tapa de alcantarilla o una rueda con cualquier polígono regular que tenga un número impar de lados. A partir de una figura de cinco lados, por ejemplo, puedes construir una figura pentagonal redondeada con un ancho constante.

Cualquier objeto con una sección de este tipo rodará con suavidad sobre el piso de la cocina o calle abajo.

Pi galáctico

Después de un día de beisbol y de andar en bicicleta con los Dígitos alie-nígenas, se les ha despertado el apetito.

–¡Acompáñennos al festín de deliciosos *pies*!–, dice Dígito Tres, al tiempo que los conduce hasta una mesa de día de campo muy larga. Desde un extremo de la mesa ni siquiera alcanzas a distinguir el otro; pareciera que la mesa no tiene fin.

Los nueve Dígitos se internan en el bosque. Momentos más tarde, Dígito Tres reaparece con una *pizza* enorme y se sienta en una silla especial en la cabecera de la mesa. Después, aparece Dígito Uno con un *pie* de limón y se sienta en la larga banca a la izquierda de Dígito Tres. Dígito Cuatro llega con un *pie* de queso y se sienta junto a Dígito Uno.

Más Dígitos surgen del bosque, cada uno con un tipo de *pie* diferente. Otro Dígito Uno se sienta junto a Dígito Cuatro con un *pie* de cereza. Después llegan Dígito Cinco con un *pie* de mora, Dígito Nueve con uno de durazno y Dígito Dos con uno de manzana.

Cuando llega Dígito Seis y se sienta junto a Dígito Dos, los invitan a ustedes para que se sienten a la mesa en la banca de enfrente. Más Dígitos siguen llegando y comienzan a repartir rebanadas de *pie*.

–¿Cuántos más llegarán?–, preguntas.

–Todos están invitados y nuestra población actual es de 206 158 430 000–, dice Dígito Tres, que permanece sentado en la cabecera de la mesa. –Nuestra población sigue creciendo porque nadie muere y seguimos teniendo bebés–.

Mientras tú consideras la idea de comer *pies* con más de 206 mil millones de Dígitos, Memo mira de principio a fin la hilera de dígitos sentados a la mesa, con una expresión de perplejidad pintada en el rostro. Anita estudia la hilera y rompe en carcajadas.

¿Por qué es tan gracioso el orden en que están sentados los Dígitos?

[Respuesta a continuación]

Los dígitos de pi

Los Dígitos come-*pies* están sentados en el mismo orden que los dígitos de un número enigmático y especial de las matemáticas conocido como **pi**. Como sabrás, pi es la razón que existe entre la **circunferencia** de un círculo (el contorno) y su **diámetro** (la distancia que lo cruza pasando por el centro). Sin importar lo grande o pequeño que sea el círculo, su circunferencia dividida entre su diámetro siempre es igual a 3.14159265...: el número que llamamos pi. Los dígitos a la derecha del punto decimal continúan indefinidamente, sin seguir ningún patrón particular. El símbolo matemático para pi es la letra griega "π".

Debido a que pi es un **número irracional**, no puede expresarse como una fracción exacta, como por ejemplo, $\frac{13}{4}$ o $\frac{22}{7}$. Se necesitaría una sucesión infinita de dígitos decimales para representar el número exacto. Por tanto, si todos los dígitos de pi se alinearan en la banca de una mesa de día de campo, ésta tendría que ser infinitamente larga. Sin embargo, la "población actual" de dígitos alienígenas es de apenas 206 158 430 000. Este es el número de dígitos consecutivos de pi que los matemáticos han calculado a la fecha.

Cazadores de dígitos

Calcular el valor de pi ha sido un reto fascinante desde los tiempos antiguos.

Alrededor del año 1650 a.C., Ahmes, escriba egipcio, puso por escrito un conjunto de problemas matemáticos. En uno de ellos, Ahmes supuso que el área de un campo circular con un diámetro de 9 unidades es igual al área de un cuadrado de 8 unidades de lado. Así que, para los egipcios esto significaba que pi era igual a 4 veces $\frac{8}{9}$ por $\frac{8}{9}$, que es igual a 3.16049..., un poco más que su verdadero valor.

Más de mil años después, el matemático y físico griego Arquímedes (287-212 a.C.) calculó el valor de pi como 3.1419. Su estimación tuvo un error de menos de tres diezmilésimas, y eso que el sistema de numeración que utilizó para calcularlo, ¡ni siquiera tenía el símbolo para representar el 0!

En el siglo V d.C., el astrónomo chino Tsu Ch'ungchih y su hijo Tsu Kengchih estimaron que el valor aproximado de pi era $\frac{355}{113}$, o 3.1415929. Este valor está solamente casi ocho diezmillonésimas arriba del verdadero valor de pi que es 3.1415926....

Mientras tanto, durante el primer milenio, los romanos y otras culturas trabajaron con valores de pi menos exactos. En 1220 Fibonacci escribió que pi es aproximadamente $\frac{864}{275}$, o casi 3.1418. Este valor es casi el mismo que utilizaron mucho antes los antiguos griegos.

Poco después, los europeos comenzaron a lograr grandes avances en la aproximación del verdadero valor de pi, expresado en dígitos decimales. En 1585, un matemático holandés volvió a llegar al valor 3.1415929, sin saber que los chinos lo habían encontrado más de mil años antes. Ocho años más tarde, otro matemático holandés calculó exactamente los 15 primeros dígitos decimales de pi, y después un alemán calculó los 35 primeros dígitos.

Hacia 1722, un matemático japonés había calculado 40 dígitos. A principios del siglo XIX, un matemático chino calculó 100 dígitos, y en Austria se calcularon correctamente 140 dígitos de pi. Con la llegada de la computadora en el siglo XX, el récord mundial de pi se elevó a miles de dígitos, después a millones y luego a ¡miles de millones!

DÍGITOS DECIMALES DE PI: EL RÉCORD MUNDIAL

Número de dígitos decimales: 206 158 430 000

Calculados por: Yasumasa Kanada y sus colaboradores en la Universidad de Tokio

Año: 1999

Tiempo de computadora requerido: 37 horas

El dígito más común entre los primeros 200 mil millones: 8 (aparece 20 000 291 044 veces)

El dígito menos común: 6 (aparece 19 999 868 180 veces)

Último dígito conocido: 4

Calcula el valor de pi con el método clásico de los griegos.

El método consiste en medir el perímetro de dos polígonos (en este caso, dos hexágonos): el primero está **inscrito** dentro de un círculo y el otro está **circunscrito** alrededor de la parte exterior del mismo círculo, como se muestra en la página 59. El círculo es más grande que uno de los polígonos y más pequeño que el otro, por lo que puedes medir el perímetro de cada polígono y calcular el promedio de los dos para estimar la circunferencia del círculo.

Puesto que la circunferencia de cualquier círculo dividida entre su diámetro es igual a pi, la circunferencia estimada dividida entre el diámetro será una aproximación de pi.

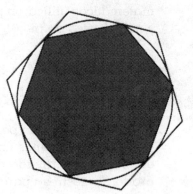

Círculo con dos hexágonos, uno circunscrito y el otro inscrito.

QUÉ NECESITAS ● regla
● lápiz y papel
● calculadora (opcional)

QUÉ HACER **1.** Mide la longitud de un lado del hexágono inscrito (el más pequeño).

2. Multiplica la longitud por 6 para calcular el perímetro del hexágono inscrito.

3. Mide un lado del hexágono circunscrito (el más grande).

4. Multiplica la longitud por 6 para calcular el perímetro del hexágono circunscrito.

5. Puesto que el círculo es más grande que uno de los hexágonos y más pequeño que el otro, encuentra el promedio de ambos perímetros para estimar la circunferencia del círculo. Para calcular el promedio, suma los resultados de los pasos 2 y 4, y divídelos entre 2. Nombra la respuesta con la letra "c", la circunferencia estimada del círculo.

6. Mide el diámetro del círculo, y nómbralo "d".

7. Calcula el cociente c/d para estimar pi.

[Respuestas en la p. 105]

Entre más lados tengan los dos polígonos, más precisa será la aproximación de pi. En el diagrama de la página 59, los polígonos son hexágonos. Arquímedes utilizó polígonos de 96 lados. En el siglo XVII, los matemáticos utilizaron polígonos con millones de lados para calcular más y más dígitos de pi.

Tiro al blanco para calcular pi

He aquí otro método para obtener un valor aproximado de pi.

Supón que tienes un tablero cuadrado para tirar al blanco con dardos en el que has trazado un círculo que encaja de manera exacta en el cuadrado. Tu destreza para lanzar los dardos es tan limitada que éstos se clavan aleatoriamente por todo el cuadrado.

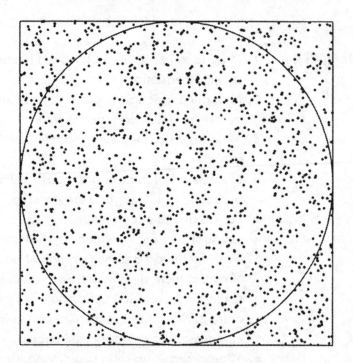

Tiro al blanco para dardos con un círculo para estimar el valor de pi.

El círculo tiene un diámetro exactamente igual al ancho del cuadrado, divide el número de dardos que se clavaron adentro del círculo entre el número total de dardos que utilizaste. La respuesta que obtengas es aproximadamente un cuarto del valor de pi. Tan sólo multiplica esta respuesta por 4 para obtener una estimación del valor de pi.

Entre más dardos lances (y mientras menos puntería tengas), mejor será la estimación que realices.

De regreso con los Dígitos alienígenas

Después del festín de *pies*, los Dígitos los invitan a pasar la noche con ellos acampando bajo las estrellas.

Pronto oscurece y los Dígitos le ofrecen a cada uno de ustedes una bolsa para dormir. Ellos alinean sus bolsas para dormir siguiendo el mismo orden en que se sentaron en la mesa de día de campo: 314159... Tus amigos y tú acomodan cerca sus bolsas para dormir. Después se recuestan y miran el cielo tachonado de estrellas.

–Hora de buscar a pi en el cielo–, dice Dígito Tres, al tiempo que les da un objeto parecido al transportador que se utiliza en la clase de geometría para medir los ángulos.

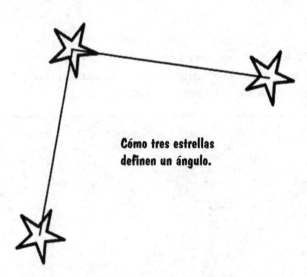

Cómo tres estrellas definen un ángulo.

–Ahora, escojan tres estrellas brillantes–, dice Dígito Uno. –Utilicen el transportador para medir el ángulo que forman, como éste–.

–Ahora digan la medida de sus ángulos–, dice Dígito Cuatro.

Colocas el transportador para medir el ángulo que forman tres estrellas.

–Veintidós grados–, dices en voz alta.

Anita dice: –Noventa y ocho grados–.

–El mío mide 123 grados–, dice Memo.

–Bien–, dice Dígito Uno. –Los números 22 y 98 son divisibles entre 2. Los números 22 y 123 no tienen ningún factor común, excepto 1. El tercer par de números, 98 y 123, tampoco tienen factores comunes–.

–¿Y qué?–, pregunta Memo. –¿Qué tienen que ver los ángulos entre las estrellas con el número pi?–

[Respuesta a continuación]

BUSCANDO A PI EN EL CIELO

Los Dígitos planean estimar el valor de pi utilizando el método desarrollado por el científico británico Robert Matthews en 1995. El método se basa en el hecho de que para dos números enteros cualesquiera, elegidos entre un conjunto grande de números aleatorios, la probabilidad de que los dos números no tengan factores comunes es $6/\pi^2$, lo que es aproximadamente igual a 0.61. En otras palabras, la probabilidad aproximada de que dos números cualesquiera mayores que 1 no tengan factores comunes (excepto el número 1, que es factor de todos los números enteros) es de 61 por ciento.

Por ejemplo, si factorizas los números 22, 98 y 123, obtienes:

$$22 = 2 \times 11$$
$$98 = 2 \times 7 \times 7$$
$$123 = 3 \times 41$$

Los números 22 y 98 tienen el 2 como factor común. El par de números 22 y 123 no tienen factores comunes, con excepción del 1. El par 98 y 123 tampoco tienen factores comunes.

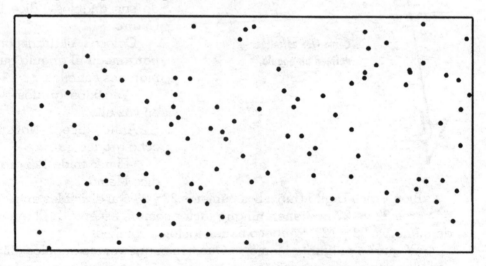

Se puede utilizar un generador de números aleatorios por computadora para crear un mapa con cientos de estrellas dispersas al azar en el firmamento.

Matthews utilizó las posiciones de las estrellas en el cielo como punto de partida para generar números aleatorios. Midió los diferentes ángulos que se forman con los cientos de estrellas más brillantes en el cielo para dar con un millar de pares de números. Después utilizó una computadora para determinar los factores de cada par de números.

Al calcular el porcentaje de los pares de números que tienen factores comunes, pudo estimar que pi tiene el valor de 3.12772. Este número está dentro del 0.5 por ciento del verdadero valor de pi. Con este peculiar método, ¡realmente pudo encontrar al pi galáctico!

Paseo cuadrigaláctico

Ya es de día cuando despiertas en el asteroide de los Dígitos. Junto a ti, Anita y Memo empiezan a despertarse. La mayoría de los Dígitos aún duermen, pero Ocho ya se levantó y camina hacia a ti.

–¡Buenos días! Tengo una gran historia que contarles–, dice Dígito Ocho.

Anita, Memo y tú se sientan junto a Ocho, uno enfrente del otro formando un cuadrado.

–Hace mucho, mucho tiempo, en una galaxia muy, muy lejana, yo vivía en un lugar donde todo era completamente predecible y regular–, cuenta Dígito Ocho. –Todos en mi vecindario eran cubos perfectos, como yo–.

Al notar la cara de extrañeza de Memo, le explica: –Ocho es igual a 2 al cubo, o $2 \times 2 \times 2$. Mi vecino de enfrente era el 64, que es igual a $4 \times 4 \times 4$. Cada uno de nosotros vivía en una casa cúbica construida sobre un terreno cuadrado, y las calles estaban alineadas como en un enorme tablero de ajedrez. Por supuesto, el piso era perfectamente plano–.

–Yo vivo en un lugar como ese en la Tierra–, dice Anita. –En mi ciudad no hay colinas y todas las calles forman una cuadrícula–.

–Bueno, pero cuando estás parado en la Tierra y alzas la vista hacia el firmamento nocturno, las estrellas están desperdigadas al azar, tal y como las vez aquí en la Tierra de Pi–, dice Dígito Ocho. –En la galaxia de donde yo vengo, todas las estrellas están alineadas en una cuadrícula tridimensional, dividida perfectamente en hileras, columnas y pilas, todas ellas con la misma separación. Se llama Galaxia de la Cuadrícula Cúbica–.

–¡Me gustaría verla!–, exclama Memo.

–Claro. Lo único que necesitas es un navegador láser, y cuando salí de mi galaxia a probar fortuna aquí en el Universo del Azar, me traje muchos conmigo–.

Dígito Ocho te da una caja negra bruñida con un botón plateado, y continúa: –Este navegador láser te llevará directamente hasta la Galaxia de la Cuadrícula Cúbica. Cuando llegues ahí, presiona el botón "zoom" y te enviará en una de seis direcciones, elegida al azar: a la izquierda, a·la derecha, hacia arriba, hacia abajo, hacia adelante o hacia atrás. Con este instrumento podrán explorar la galaxia viajando de una estrella a otra–.

–Suena muy interesante–, dice Anita.

–Aunque debo advertirles algo: si su ruta se cruza o se enreda consigo misma, formará un nudo y entrarán en un mundo nuevo y extraño–, los previene Dígito Ocho.

Antes de darse cuenta, Anita, Memo y tú ya están de nuevo en su cápsula espacial y se aproximan rápidamente a la Galaxia de la Cuadrícula Cúbica. Pueden ver brillar la galaxia enfrente de ustedes, como un diamante en el firmamento. Enseguida, entran en el gigantesco diamante y comienzan a pasar hilera tras hilera y columna tras columna de refulgentes estrellas.

Cuando presionas el botón "zoom" del navegador láser, la cápsula espacial sale disparada hacia adelante y comienza a orbitar la estrella más cercana. Después, vuelves a presionar el "zoom" y ahora se dirigen a la estrella que está a la izquierda. Sin embargo, notas que el navegador láser nunca te permite visitar dos veces la misma estrella.

¡Vaya que es divertido viajar de una estrella a otra! De pronto, recuerdan la extraña advertencia de Dígito Ocho. ¿Cuáles son las probabilidades de que su ruta aleatoria forme un nudo?

[Respuesta a continuación]

Caminatas aleatorias, nudos aleatorios

¿Alguna vez has aventado un collar o un cordón hecho bola sobre una mesa? Existe una buena probabilidad de que se le haga un nudo cuando lo recojas, en especial si estaba un poco enredado. Puede pasar lo mismo con la manguera del jardín si la dejas tirada sobre el césped sin enrollarla.

Los marinos y alpinistas conocen el problema, por lo que tienen mucho cuidado al guardar bien sus cuerdas para evitar que se formen nudos. Debido a que hacer un nudo es algo que cuesta cierto trabajo, la formación no intencional de nudos en cuerdas, mangueras, cordones y collares puede ser frustrante y problemática.

Los topólogos —los matemáticos que estudian las figuras— han investigado la formación espontánea de nudos utilizando una cuadrícula tridimensional parecida a la Galaxia de la Cuadrícula Cúbica. Imagínate a un caminante parado en un punto, o vértice, de la cuadrícula cúbica. El caminante pasa aleatoriamente de un vértice al siguiente en una de las seis direcciones posibles desde cualquier punto dado.

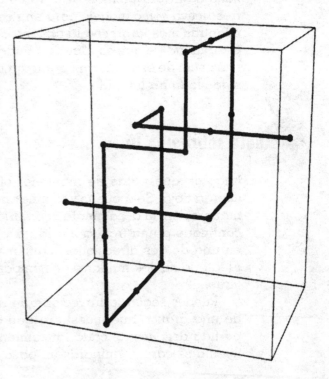

Ejemplo de una breve caminata aleatoria autorrestrictiva en tres dimensiones.

• • •
67

Puesto que la trayectoria se elige al azar –por ejemplo, lanzando un dado de seis caras para determinar la dirección de cada paso–, los topólogos llaman **caminata aleatoria** a la trayectoria del sujeto. Cuando al caminante no se le permite visitar una segunda vez el mismo vértice, el trayecto se llama **caminata aleatoria autorrestrictiva**.

Los matemáticos y los científicos utilizan las caminatas aleatorias como modelo para explicar una variedad de fenómenos naturales, entre otros, las formas y pliegues de los polímeros, y las moléculas en forma de cadena de las que se componen plantas y animales. Los productos derivados de plantas y animales, como la madera, el petróleo y los plásticos, también se componen de polímeros. Las moléculas de ADN del cuerpo humano son otro ejemplo de polímeros.

Los polímeros están formados por largas cadenas de unidades de "monómeros". Las cadenas se tuercen y se cruzan sobre su propia trayectoria como una sarta de cuentas enredada. Cada cuenta de una sarta y cada monómero en una cadena de polímeros es el equivalente de un paso en una caminata aleatoria. De hecho, son como caminatas aleatorias autorrestrictivas. Dos cuentas no pueden ocupar el mismo lugar en un collar, como tampoco pueden hacerlo dos monómeros en una cadena de polímeros.

En 1988, un matemático de la Universidad Estatal de Florida y un químico de la Universidad de Toronto utilizaron la caminata aleatoria autorrestrictiva como modelo para una cadena de polímeros. Demostraron que mientras más larga sea la cadena o la caminata aleatoria, mayor será la posibilidad de que se forme un nudo. De igual modo, si visitas un número suficiente de estrellas en la galaxia cúbica, es casi seguro que la ruta que sigas formará un nudo.

Caminata sobre una línea

Imagina que tratas de mantener el equilibrio en las alturas sobre una cuerda floja. Sólo puedes caminar hacia adelante o hacia atrás. De igual manera, en una caminata aleatoria unidimensional, el caminante está confinado a una trayectoria larga y estrecha, donde sólo puede avanzar en una de dos direcciones. Lanzar una moneda al aire sería una forma aleatoria de determinar si das un paso hacia adelante (cara) o hacia atrás (cruz).

Puedes seguir la trayectoria de una caminata unidimensional haciendo una gráfica que muestre a qué distancia te encuentras del punto de partida después de cada lanzamiento de la moneda. Si el primer lanzamiento es cara, terminarás un paso adelante de la salida. Si te vuelve a salir cara en el siguiente lanzamiento, estarás dos pasos adelante. Un tercer lanzamiento que sea cara te llevará tres pasos adelante. Si la cuarta vez que lances la moneda cae cruz, entonces retrocedes un paso y estarás a dos pasos del punto de partida.

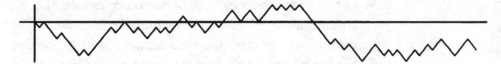

En esta gráfica se muestran los resultados de una caminata aleatoria unidimensional. El eje horizontal representa el número de pasos andados, y el eje vertical muestra a cuántos pasos te encuentras del punto de partida, si empezaste desde cero. Los pasos hacia adelante son positivos (se indican hacia arriba) y los pasos hacia atrás son negativos (se indican hacia abajo).

Construye tu propia caminata aleatoria unidimensional.

QUÉ NECESITAS
- lápiz y papel
- regla
- moneda
- botón o algún otro objeto que represente al caminante

QUÉ HACER
1. Utiliza la regla para dibujar una línea de unos 30 centímetros (1 pie) de largo.
2. Marca el punto de partida en medio de la línea.
3. Establece la longitud que tendrá cada "paso" del caminante. Un centímetro (o una pulgada) servirá bien. Utiliza la regla para marcar algunos pasos a la dere-

cha del punto de partida y algunos a la izquierda. Comienza la caminata desde el punto de en medio.

4. Lanza la moneda al aire. Si cae cara, mueve el caminante un paso a la derecha del punto de partida; si cae cruz, muévelo un paso a la izquierda.

5. Vuelve a lanzar la moneda y avanza un paso a la derecha si cae cara o un paso a la izquierda si cae cruz, comenzando desde el punto en que se encontraba el caminante antes de lanzar la moneda.

6. Continúa lanzando la moneda y marcando la posición del caminante.

Entre más lanzamientos de la moneda realices, más lejos estará el caminante del punto de partida original. Los matemáticos han demostrado que la distancia más probable (en pasos) desde la salida es igual a la raíz cuadrada del número de pasos que tomaría llegar hasta ese punto.

En otras palabras, después de lanzar la moneda al aire nueve veces, el caminante probablemente estará a la raíz cuadrada de nueve pasos (es decir, a tres pasos) de la salida. Por supuesto, tu caminante puede estar a dos, cuatro o más pasos de distancia de la salida, pero si repites el experimento el número suficiente de veces, la distancia más probable que habrá recorrido el caminante desde la salida (después de cada nueve lanzamientos) será de tres pasos.

¿En algún momento el viajero regresará al punto de partida original? Los matemáticos han demostrado que un caminante que se desplaza aleatoriamente para atrás y para adelante sobre una línea recta terminará por regresar al punto de partida.

Esto parecería ser una buena estrategia para alguien que esté perdido en una cuerda floja: sólo necesitará dar pasos de manera aleatoria en cualquier dirección para volver finalmente al punto de partida, ¡aunque podría tomarle toda la vida para lograrlo!

Caminata sobre una cuadrícula

Es fácil ampliar el modelo de la caminata aleatoria a dos dimensiones: se eligen al azar, pero con la misma probabilidad, las direcciones norte, sur, este u oeste para cada paso. En lugar de lanzar una moneda al aire, puedes utilizar un dado común, y si te sale un 5 o un 6, ignóralos y vuelve a lanzar el dado.

Imagina que la caminata va de un vértice a otro sobre un tablero de ajedrez infinito. Si esta caminata se prolongara el tiempo suficiente, seguramente el caminante tocará todos los vértices y regresará de nuevo al punto de partida.

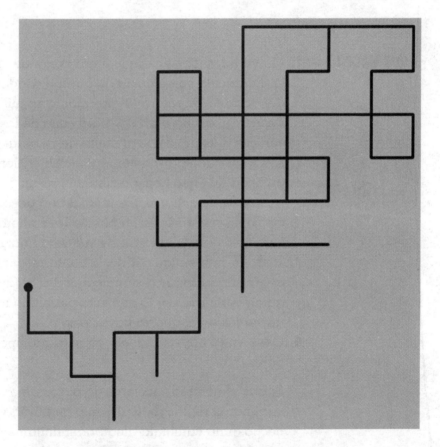

Caminata bidimensional sobre una hoja cuadriculada, ilustrada paso por paso.

Registra una caminata aleatoria en dos dimensiones.

QUÉ NECESITAS ● hoja de papel cuadrículado (o dibuja tu propia cuadrícula con lápiz, papel y regla)
● dado normal
● lápiz

QUÉ HACER

1. Marca un vértice en algún lugar cerca del centro de la cuadrícula como punto de partida. Cada tirada del dado determinará la dirección a seguir –derecha, izquierda, arriba o abajo– hacia uno de los cuatro vértices más próximos al punto de partida.

2. Lanza el dado para determinar la dirección. Si cae un 1, da un paso hacia arriba; si cae un 2, da un paso a la derecha; si cae un 3, da un paso hacia abajo; si cae un 4, da un paso a la izquierda. Si te sale un 5 o un 6, ignóralos y vuelve a lanzar el dado.

3. Traza la ruta en la cuadrícula conforme vayas avanzando. Ésta no es una caminata aleatoria autorrestrictiva, por lo que está permitido regresar a un vértice en el que ya hayas estado.

4. Observa la trayectoria. ¿Sugiere algún tipo de patrón?

Si das el número suficiente de pasos aleatorios, terminarás regresando al punto de partida. De hecho, ¡una caminata aleatoria infinitamente larga te hará visitar cada punto de la cuadrícula un número infinito de veces!

5. Repite los pasos 2 y 3, pero esta vez aplica una caminata aleatoria autorrestrictiva. En otras palabras, si la dirección que determina el dado te llevaría a un vértice que ya visitaste, no avances y vuelve a tirar el dado. ¿Cómo es la trayectoria autorrestrictiva en comparación con la primera trayectoria? ¿Podrías quedar atorado en algún vértice desde el cual ya no pudieras moverte?

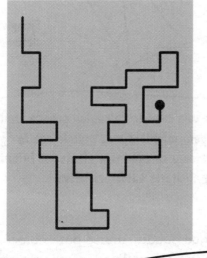

Ejemplo de una caminata aleatoria autorrestrictiva bidimensional.

[Respuestas en la p. 105]

Vagando en el espacio

En tres dimensiones, un caminante puede ir hacia adelante o hacia atrás, además de moverse a la derecha, a la izquierda, hacia arriba o hacia abajo. Sin embargo, incluso después de un número infinito de pasos, la probabilidad de volver al punto de partida en cualquier momento es de sólo uno en tres. En tres dimensiones hay tal cantidad de espacio disponible, que las probabilidades de que un caminante vague muy lejos son mayores que en una o dos dimensiones.

De hecho, los matemáticos que estudian las caminatas aleatorias en tres dimensiones ofrecen una importante lección para cualquiera que se pierda en el espacio. A menos que su regreso a casa ocurra en los primeros pasos, lo más probable es que termine perdido para siempre. Sencillamente existen demasiadas maneras de ir de aquí para allá.

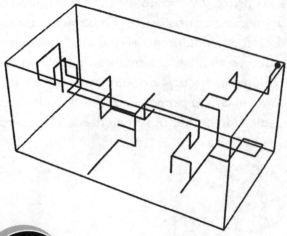

Ejemplo de una caminata aleatoria tridimensional.

Construir una cuadrícula cúbica grande requiere mucho trabajo, pero mientras más grande sea tu "galaxia cúbica", más larga será tu caminata aleatoria. Intenta realizar una caminata aleatoria autorrestrictiva.

QUÉ NECESITAS

- palitos que puedan unirse para construir una cuadrícula cúbica. (Puedes utilizar palillos de dientes unidos con malvaviscos, bolitas de plastilina o bolitas de unicel. Otra opción es construir una cuadrícula con un juego de piezas de plástico para ensamblar, siempre y cuando tengas suficientes piezas. Para que tu cuadrícula sea del tamaño apropiado, trata de tener al menos sesenta conectores y unos cien palillos de dientes o palitos de la misma longitud).
- etiquetas adhesivas pequeñas para marcar cada vértice visitado.
- dado normal

QUÉ HACER

1. Construye una cuadrícula cúbica uniendo los palillos en ángulos de 90 grados.

2. Escoge un vértice cerca de la parte de en medio de la cuadrícula como punto de partida y márcalo con dos etiquetas.

3. Lanza el dado y muévete a uno de los vértices contiguos según estas instrucciones: si cae un 1, da un paso hacia arriba; si cae un 2, avanza hacia la derecha; si cae un 3, hacia abajo; si cae un 4, muévete a la izquierda; si cae un 5, avanza hacia adelante (en la dirección contraria a donde tú te encuentras); y si cae un 6, muévete hacia atrás (hacia donde tú te encuentras).

4. Marca el nuevo vértice con una etiqueta.

5. Continúa lanzando el dado y muévete de acuerdo con el resultado. Cada vez que visites un vértice, márcalo con una etiqueta.

Como se trata de una caminata aleatoria autorrestrictiva, no es posible visitar dos veces el mismo vértice. Si el dado te llevara a un vértice que ya está marcado, ignora el resultado y vuélvelo a lanzar. Asimismo, si llegas a una orilla y te sale un número que te sacaría de la cuadrícula, ignóralo y lanza otra vez el dado.

AGITACIÓN ALEATORIA

A principios del siglo XIX, el botánico británico Robert Brown viajó alrededor del mundo recolectando especímenes de plantas. Al examinarlos al microscopio, encontró que ciertos granos de polen eran transparentes y pudo ver distintas partículas dentro de cada grano. Bajo el microscopio, estas partículas parecían estar en movimiento continuo, zigzagueando aleatoriamente en todas direcciones.

Los experimentos realizados por Brown con hollín y otras partículas microscópicas suspendidas en agua revelaron un movimiento de agitación similar. Más tarde, algunos científicos plantearon que la agitación era causada por el movimiento de las moléculas que constituyen el líquido, y llamaron movimiento "browniano" a este fenómeno.

En 1905, Albert Einstein hizo la demostración matemática de la forma en que diminutas moléculas en movimiento aleatorio pueden mover partículas lo suficientemente grandes para ser observables bajo el microscopio. Las moléculas de un líquido están en movimiento constante. Cada molécula viaja en línea recta hasta que choca con una partícula y rebota, como una bola de billar. En cualquier momento dado, un gran número de moléculas puede golpear una sola partícula, de tal modo que el impacto la empuja en una dirección específica. Los impactos combinados producen más fuerza en algunas direcciones que en otras, imprimiendo a la partícula un impulso neto en una dirección.

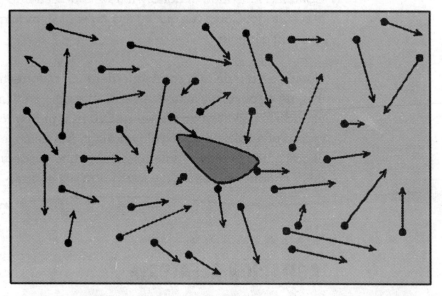

Diminutas moléculas moviéndose en direcciones aleatorias a diferentes velocidades (los puntos negros con flechas) chocan con una partícula flotante (sombreada), haciendo que se mueva caprichosamente en todas direcciones.

Las trayectorias desordenadas y caóticas de las partículas microscópicas suspendidas en un líquido son aleatorias, ¡como los movimientos en una caminata aleatoria tridimensional!

Guarida hiperespacial

Estás viajando al azar de estrella en estrella, cuando de repente suena una chicharra, se activa una sirena y las luces de tu cápsula espacial empiezan a parpadear. La pantalla de la computadora muestra una línea anudada de manera complicada.

Sientes a la vez algo de miedo y emoción al recordar la advertencia de Dígito Ocho: "Si su ruta se cruza o se enreda consigo misma, formará un nudo y entrarán en un mundo nuevo y extraño".

–Entrando en el hiperespacio–, resuena una voz que proviene del radio.

En la pantalla aparece un cubo grande, con un hoyo negro en cada una de sus caras. Haces clic sobre uno de los hoyos negros y se agranda tanto en la pantalla que alcanzas a mirar el interior del cubo. Aunque parezca mentira, ¡se ve exactamente igual al interior de la cápsula espacial!

Apartas la vista de la pantalla y miras alrededor de la habitación –tu cápsula espacial–, y te das cuenta de que ahora tiene la forma de un cubo perfecto. Incluso en cada una de las paredes hay un hoyo negro, ¡lo mismo que en el techo y el piso!

Anita asoma la cabeza en el hoyo de la izquierda. En el mismo instante en que se asoma, su cabeza reaparece por el hoyo de la pared que está a tu derecha.

Memo se agacha para examinar el hoyo que está en el piso. Cuando mete su pierna izquierda en el hoyo, te das cuenta de que su pie entra por el techo.

¿En qué parte del universo están?

[Respuesta a continuación]

Más allá de las tres dimensiones

Has entrado al **hiperespacio**. El espacio ordinario es tridimensional. Hiperespacio es el término que utilizan los matemáticos para describir el espacio de cuatro dimensiones.

Cuando los topólogos empezaron a incursionar más allá del mundo tridimensional para explorar formas geométricas en cuatro o más dimensiones, encontraron dificultades para describir y clasificar las nuevas formas que descubrieron. Introdujeron el término **tubo múltiple** para describir cierto tipo de objetos multidimensionales comunes, cuyos lados opuestos en ocasiones pueden conectarse a través de una dimensión superior. El cubo de tu cápsula espacial es un ejemplo de tubo múltiple, porque al salir por uno de sus lados regresas por el lado opuesto.

Para crear un tubo múltiple tridimensional, podrías conectar los lados opuestos de un cuadrado o un rectángulo bidimensional. Para crear un tubo múltiple tetradimensional, conectarías de alguna manera las caras opuestas de un cubo tridimensional. ¡Tu cápsula espacial cúbica es un ejemplo de un tubo múltiple tetradimensional!

Convierte un rectángulo bidimensional en un tubo múltiple tridimensional que parece una dona.

Conectar los lados opuestos de un objeto bidimensional para crear un tubo múltiple tridimensional te ayudará a imaginar cómo podrías hacer algo similar para convertir un objeto tridimensional en uno tetradimensional. Si encontraras la manera de pegar las caras opuestas de un cubo normal, podrías crear un tubo múltiple tetradimensional.

QUÉ NECESITAS
- una hoja de papel aluminio de aproximadamente 10 × 27 centímetros (4 × 11 pulgadas); si no tienes papel aluminio, puedes intentarlo con papel normal
- cinta adhesiva

Cómo hacer un toroide con una hoja rectangular.

QUÉ HACER

1. Pega los dos lados largos de la hoja rectangular para formar un **cilindro** o tubo. Si lo deseas, enrolla el papel en un tubo de cartón para obtener la forma que se muestra a la derecha antes de pegar los extremos.

2. Curva el tubo que hiciste en el paso anterior y pega sus dos extremos con cinta adhesiva para formar una dona hueca. El nombre matemático de este cuerpo es **toroide**.

De los juegos de video al juego del gato (tres en raya)

Muchos juegos de video funcionan como tubos múltiples para que la figura se mantenga en la pantalla. Cuando el personaje de un juego se sale por el lado derecho de la pantalla, reaparece a la izquierda. Cuando el personaje se sale por arriba, reaparece abajo. De hecho, los bordes de la pantalla están "pegados". Es como si la pantalla se hubiera doblado circularmente en forma de dona o toroide.

Seguramente habrás jugado *gato* (tres en raya) sobre una superficie plana. Imagina lo que sucedería si el *gato* con 3×3 casillas estuviera sobre la superficie de un toroide.

En el juego que se muestra abajo no hay tres X ni tres O en línea, por lo que nadie gana. Sin embargo, si el juego se pasara a un toroide, habría nuevas formas de tener tres marcas en línea. ¿Qué pasaría si el lado A se pegara con el lado B? ¿Habría entonces un ganador?

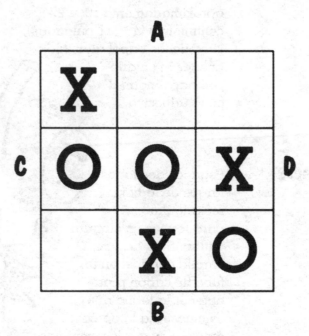

[Respuesta a continuación]

Ni las X ni las O ganan en el juego de gato (tres en raya) convencional mostrado en la página 80. Determina si las X o las O ganarían si el juego se pasara a un cilindro o toroide y se aplicaran las mismas reglas para ganar.

QUÉ NECESITAS
- lápiz
- hoja de papel
- regla o tablita con bordes rectos (opcional)

QUÉ HACER

1. Utiliza la hoja completa para jugar *gato* en ella. Es decir, los bordes del juego serán los bordes de la hoja.

2. Copia el juego de la página 80 en la hoja de papel y marca los lados A, B, C y D, tal como se muestra.

3. Enrolla la hoja de papel en forma de tubo de tal modo que los lados A y B coincidan, con el dibujo hacia afuera.

4. Observa que ahora tres X forman una línea diagonal, ¡así que las X ganan el juego!

Juego de gato enrollado en forma de cilindro.

5. En un toroide, los lados C y D también se juntarían. Para ver cómo se alinearían las casillas, regresa la hoja a su forma plana y después junta el lado C con el D. Busca tres X o tres O en línea para determinar quién es el ganador.

[Respuestas en la p. 106]

Escapando de un congestionamiento vial

Imagina que vas manejando en una vía rápida de cuatro carriles. Entras a un túnel y quedas atorado atrás de un enorme y lento camión. Te gustaría rebasarlo, pero no está permitido cambiar de carril dentro del túnel. Sólo puedes moverte en una sola dimensión, así que avanzas lentamente atrás del camión.

Una vez que llegas al final del túnel, puedes cambiar de carril para rebasar al camión. Ahora puedes desplazarte en dos dimensiones.

Después llegas a un congestionamiento de tránsito, donde todos los carriles están atestados de autos y camiones que avanzan a vuelta de rueda por una reparación en la vía rápida. El tránsito está bloqueado en dos dimensiones, y quisieras escapar a una tercera dimensión y pasar volando sobre el congestionamiento.

¿Qué harías si tu auto se convirtiera en un helicóptero y pudieras escapar del tránsito, pero en medio de una fuerte tormenta que te impidiera desplazarte con seguridad hacia adelante, hacia atrás, a la derecha, a la izquierda, hacia arriba o hacia abajo? ¿No sería grandioso viajar en una cuarta dimensión sin que la tormenta te tocara?

Del punto al hipercubo

Al mover un objeto en cualquier dimensión, puedes crear un objeto en la siguiente dimensión. Aquí te decimos cómo pasar de un punto a un segmento de recta, de ésta a un cuadrado, de éste a un cubo y, finalmente, del cubo a un hipercubo tetradimensional:

- Un punto tiene cero dimensiones.
- Al mover un punto en línea recta se genera un segmento de recta. Un segmento de recta es un objeto unidimensional fundamental.
- Al desplazar un segmento de recta en ángulo recto con respecto a su longitud se genera un cuadrado. Un cuadrado es un objeto bidimensional básico.
- Al mover el cuadrado en ángulo recto con respecto a su plano se forma un cubo. Un cubo es un objeto tridimensional básico.
- ¿Qué aparecería si pudieras mover un cubo en una cuarta dirección, en ángulo recto con respecto a todas sus aristas? El resultado sería un hipercubo, que tiene dieciséis vértices. También se le conoce como *tesseract*, un término utilizado por escritores de ciencia ficción en lengua inglesa. Robert Heinlein lo utiliza en su cuento —*And He Built a Crooked House* y Madeleine L' Engle en *A Wrinkle in Time*.

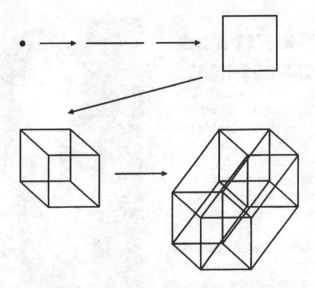

Movimiento de un punto a un segmento de recta, de éste a un cuadrado, para luego pasar a un cubo y finalmente a un hipercubo (o tesseract).

Es muy complicado tratar de representar un hipercubo en dos dimensiones sobre papel, pero las fantásticas gráficas generadas por computadora han permitido que los matemáticos creen imágenes fascinantes en la pantalla, las cuales hacen posible visualizar y comprender objetos como los hipercubos y las hiperesferas multidimensionales.

Imagen generada por computadora que muestra unas "rebanadas" en forma de toroides de una hiperesfera tetradimensional.

DE LAS HISTORIETAS A LAS MATEMÁTICAS CÓSMICAS

Cuando era niño, Thomas Banchoff se divertía leyendo las historietas publicadas por Marvel, lo que lo llevó a sentir fascinación por objetos en cuatro, cinco o seis dimensiones. Hoy, como matemático de la Universidad Brown, es el líder en el estudio de la geometría multidimensional.

Banchoff crea gráficas por computadora para visualizar objetos en cuatro dimensiones y más. Las imágenes muestran cuál es el significado del concepto de dimensión en matemáticas y más allá del mundo práctico. Cuando nos damos cuenta de que una dimensión puede representar tiempo, temperatura, peso, energía u otras variables, vemos que las dimensiones superiores son útiles en física, geología, medicina y arte moderno.

El matemático Tom Banchoff a los 10 años de edad cuando se dirigía a Chicago para participar en un concurso de conocimientos por la radio.

Por ejemplo, imagina que intentas representar lo que pasa en un ecosistema donde la lluvia, la temperatura del agua, el contenido de oxígeno, la profundidad del cieno y otros factores pueden afectar la población de peces de un lago. Podríamos medir cada uno de estos factores por separado y crear después gráficas bidimensionales para mostrar cuál es la población a temperaturas o precipitaciones pluviales diferentes. Si quisiéramos mostrar cómo varía la población con la lluvia y temperatura al mismo tiempo, necesitaríamos una gráfica tridimensional. Para agregar otra variable se necesitaría una gráfica tetradimensional.

Encontrar formas de visualizar sistemas tan complicados para tratar de comprender lo que sucede significa aprender a pensar en dimensiones superiores, tal como lo hacemos al observar una fotografía normal o al analizar las claves visuales en una pintura bidimensional para imaginar las formas tridimensionales que se esconden detrás de esas representaciones.

Tribulaciones triangulares

Deambulas sin rumbo fijo en la cuarta dimensión, entrando y saliendo por los extraños hoyos en la pared, cuando de pronto suena el teléfono.

Desconcertado, localizas el auricular y contestas. –Bueno–.

–Habla Dígito Tres, tu viejo amigo de la Tierra de Pi–.

–¡Grandioso! ¿Puedes ayudarnos?–, preguntas. –Parece que estamos atrapados en la cuarta dimensión y no sabemos cómo regresar al espacio normal. ¿Volveremos a ver las estrellas alguna vez? ¿Regresaremos a la Tierra algún día?–

–Ese loco Dígito Ocho y sus bromas pesadas–, dice Dígito Tres. –Cuando me enteré de que Dígito Ocho los había enviado a la Galaxia de la Cuadrícula Cúbica, supuse que tendrían un enredado problema y que necesitarían de mi ayuda para salir–.

–¿Cómo le hacemos para salir de aquí? ¡Necesitamos regresar al espacio tridimensional!–.

–Revisen cada esquina de la cápsula espacial cúbica. En una de ellas encontrarán una pila de treinta y seis cubos pequeños. Formen con ellos un triángulo perfecto. ¡Buena suerte!–.

Al escuchar un clic te das cuenta que Dígito Tres ha colgado. Enseguida, Memo, Anita y tú se lanzan a la búsqueda de los treinta y seis cubos hasta encontrarlos. ¿Cómo lograrán acomodarlos en un triángulo perfecto?

[Respuesta a continuación]

Acomoda treinta y seis cubos o figuras cuadradas en un diseño triangular. Las siguientes indicaciones te muestran cómo acomodarlos en un triángulo horizontal sobre la mesa o el piso. Si utilizas cubos, probablemente prefieras apilarlos para formar un triángulo vertical.

QUÉ NECESITAS • treinta y seis cubos de azúcar u otras figuras cúbicas, o treinta seis cuadrados (de unos 2 centímetros o 1 pulgada de ancho) recortados de una hoja de papel o cartulina

• superficie plana

QUÉ HACER

1. Coloca uno de los cubos o cuadrados sobre la superficie y coloca otros dos más abajo del primero, tal como se muestra a continuación:

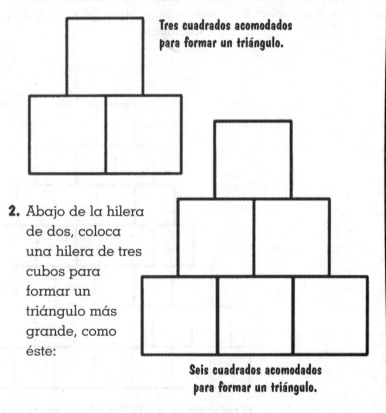

Tres cuadrados acomodados para formar un triángulo.

2. Abajo de la hilera de dos, coloca una hilera de tres cubos para formar un triángulo más grande, como éste:

Seis cuadrados acomodados para formar un triángulo.

Nota que cada cubo se coloca en medio de dos cubos de la hilera anterior, y que los cubos situados en ambos extremos sobresalen.

3. Forma una cuarta hilera con cuatro cubos, y continúa agregando hileras hasta que hayas agotado los treinta y seis cubos.

[Respuesta a continuación]

Números triangulares

El triángulo de treinta y seis cubos deberá tener ocho hileras. La primera hilera consta de un solo cubo. Cada hilera que le sigue tiene un cubo más que la anterior. Si cuentas el número total de cubos que hay desde la parte superior a una hilera dada, obtendrás lo que se conoce como un número triangular. El primer número triangular es 1, al que le siguen 3, 6, 10, 15, 21, 28, 36, y así sucesivamente.

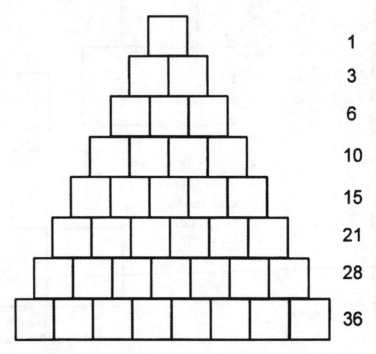

Al contar el número total de cuadrados que se necesitan para formar un triángulo de cierto número de hileras se obtienen números triangulares: 1, 3, 6, 10, 15, 21, 28 y 36.

El triángulo mágico

–¿Y ahora qué?–, dice Anita, señalando el triángulo que los tres han formado con los cubos. –Seguimos atorados en la cuarta dimensión. Esto no tiene sentido–.

El teléfono vuelve a sonar, y contestas.

–Olvidé decirles algo–, dice Dígito Tres. –Necesitan numerar cada cubo–.

–Ya está. La numeración va del 1 al 36–.

–¡No, no! Tienen que hacer que todo tenga sentido–, dice Dígito Tres. –Una vez que hayan formado el triángulo, escriban el número "1" en el cubo que está hasta arriba. Después, en cada cubo de abajo escriban la suma de los cubos que estén arriba de él. Ambos cubos de la segunda hilera tienen un "1" arriba, así que escriban "1" en cada uno de ellos. En la tercera hilera, escriban un "1" en el primer cubo (el de la izquierda). El cubo del centro tiene dos "1" arriba, así que escriban "2" en él. El tercer cubo tiene solamente un "1" arriba, así que escriban un "1". ¡Continúen así y les sorprenderá lo que resultará!–.

¿Qué tienen de sorprendentes estos números?

[Respuesta a continuación]

Marca cada cubo (o cuadrado) con la suma de los cubos que están arriba de él y observa los patrones que resultan.

QUÉ NECESITAS
- lápiz
- copia de los cuadrados acomodados en forma de triángulo de la página 88

QUÉ HACER

1. Escribe un "1" en el cuadrado de hasta arriba.
2. Escribe un "1" en cada uno de los cuadrados de la segunda hilera.
3. Escribe un "1", un "2" y un "1", en ese orden, en los cuadrados de la tercera hilera.
4. Numera cada cuadrado de la cuarta hilera con la suma de los cuadrados que están arriba de él. Deberás obtener "1", "3", "3", "1", en ese orden.
5. Continúa numerando las hileras de esa manera hasta que todos los cuadrados tengan un número.
6. Cuando termines, busca patrones de numeración en las hileras y diagonales. Prueba sumar los números de cada hilera para ver qué obtienes.

[Respuestas a continuación]

¿Qué encontró Pascal?

Al triángulo numerado se le conoce como **triángulo de Pascal**, llamado así en honor de Blaise Pascal, filósofo y matemático francés del siglo XVII. Pascal estudió exhaustivamente este triángulo numerado, pero no fue el primero en descubrirlo. El matemático y poeta persa Omar Khayyám (1048-1122) lo describió en sus escritos. También aparece en un manuscrito chino del siglo XIV.

El triángulo de Pascal está lleno de interesantes patrones numéricos. Si sumas los números de cada hilera obtienes potencias sucesivas de 2. Por ejemplo:

$$\text{Hilera 1: } 1 = 2^0$$
$$\text{Hilera 2: } 1 + 1 = 2^1$$
$$\text{Hilera 3: } 1 + 2 + 1 = 4 = 2^2$$

El triángulo también está lleno de patrones geométricos. Si sombreas todos los cuadrados numerados con múltiplos de 5, por ejemplo, obtienes un triángulo invertido.

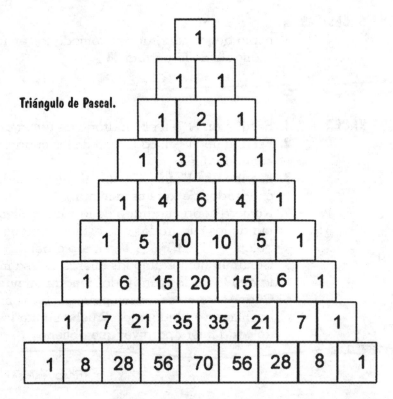

Triángulo de Pascal.

Busca patrones en el triángulo de Pascal.

QUÉ NECESITAS
- varias copias del triángulo de Pascal de la página 90
- lápiz
- lápices de colores (opcional)
- calculadora (opcional)

QUÉ HACER

1. Busca secuencias de números en las diagonales del triángulo.

   La secuencia de la primera diagonal es:

   1, 1, 1, 1, 1,...

   La secuencia de la segunda diagonal es:

   1, 2, 3, 4, 5,...

   Escribe la secuencia de la tercera diagonal.
   ¿Puedes ver algún patrón en ella?

2. Utiliza un lápiz normal o uno de color para sombrear todos los cuadrados numerados con múltiplos de 5. ¿Qué clase de patrón obtienes?

3. Sombrea todos los múltiplos de 2. ¿En qué forma es diferente este patrón con respecto al patrón del paso 2?

4. Sombrea los múltiplos de 3, 4, 6, 7 o de otros números, y observa los patrones que resultan. La calculadora te puede servir para dividir los números grandes y ver cuál debes sombrear.

5. Sobre cualquiera de los triángulos sombreados, utiliza un color diferente para sombrear todos los unos, y un tercer color para sombrear todos los cuadrados que aún no están sombreados. ¿Qué clase de patrón ves?

[Respuestas en las pp. 107 y 108]

Fractales de Pascal

Uno de los patrones más sencillos del triángulo de Pascal resulta ser un ejemplo de una de las formas geométricas más importantes en las matemáticas modernas: el **fractal**. En un fractal, cada parte se compone de versiones a escala de la figura completa.

Cuando sombreas los números pares (múltiplos de 2) en el triángulo de Pascal, el diseño que resulta se parece a un tipo especial de fractal llamado el triángulo de Sierpinski. Este fractal consiste en triángulos que están dentro de otros triángulos, los cuales forman un patrón o diseño tal que los triángulos más pequeños contienen el mismo diseño que los triángulos más grandes.

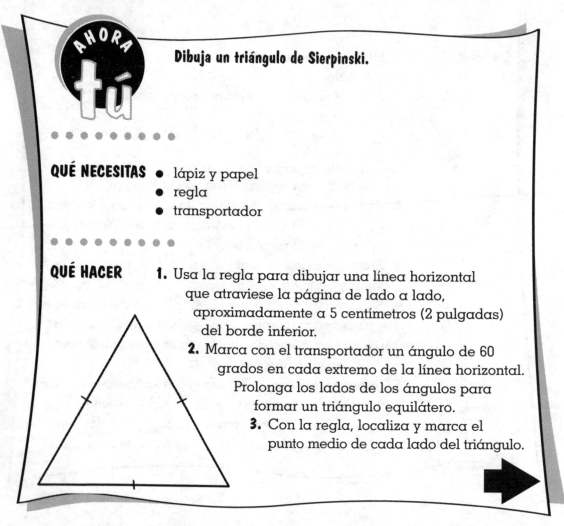

AHORA tú

Dibuja un triángulo de Sierpinski.

QUÉ NECESITAS
- lápiz y papel
- regla
- transportador

QUÉ HACER

1. Usa la regla para dibujar una línea horizontal que atraviese la página de lado a lado, aproximadamente a 5 centímetros (2 pulgadas) del borde inferior.
2. Marca con el transportador un ángulo de 60 grados en cada extremo de la línea horizontal. Prolonga los lados de los ángulos para formar un triángulo equilátero.
3. Con la regla, localiza y marca el punto medio de cada lado del triángulo.

4. Une los tres puntos medios para formar un nuevo conjunto de triángulos. Sombrea el triángulo (invertido) del centro.

5. En cada uno de los triángulos que no están sombreados, marca el punto medio de cada lado.

6. Repite los pasos 4 y 5 hasta que los triángulos sean tan pequeños que resulte difícil dividirlos.

7. Compara el resultado con el patrón que obtuviste al sombrear los números pares en el triángulo de Pascal.

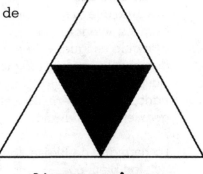

Primer paso para formar un triángulo de Sierpinski.

[Respuesta en la p. 109]

EL HOMBRE DETRÁS DEL TRIÁNGULO

Blaise Pascal nació en Francia en 1623. Su madre murió cuando él sólo tenía tres años de edad, quedando Blaise y sus tres hermanas al cuidado de su padre, Étienne Pascal. Étienne educó a sus hijos en casa en lugar de enviarlos a la escuela, porque consideraba que los niños no deberían ser obligados a estudiar temas específicos hasta que pudieran dominarlos con facilidad. También creía que la curiosidad natural del niño, y no un maestro severo, debería determinar lo que aprende. Decidió que sus hijos no estudiarían matemáticas hasta que rondaran los dieciséis años de edad, y sacó todos los libros de matemáticas de la casa.

Como al niño al que nunca se le deja ver la televisión, Blaise desarrolló una curiosidad especial por el tema prohibido, las matemáticas. A los doce años de edad, empezó a estudiar geometría por su cuenta. Sin la ayuda de un maestro o de un texto, discurrió que la suma de los tres ángulos interiores de cualquier triángulo es igual a la suma de dos ángulos rectos (180 grados). Su padre quedó tan impresionado, que le permitió estudiar geometría euclidiana.

La hermana de Blaise, Jacqueline, también poseía una inteligencia excepcional. Tenía tal talento para escribir poesía, que la propia reina a menudo la invitaba a palacio, y fue la primera niña en ganar un certamen de poesía.

Blaise Pascal.

Su padre Étienne era un funcionario importante del gobierno. Como integrante de la nueva nobleza francesa, intelectual y ambiciosa, alternaba con matemáticos franceses y otros importantes intelectuales de su tiempo. Cuando Blaise cumplió los catorce años de edad, Étienne empezó a llevarlo a reuniones con Descartes, Fermat, Mersenne y otros prominentes matemáticos. A los dieciséis años, Blaise había sido el primero en demostrar nuevos teoremas de geometría, que luego presentó en una de las reuniones.

Poco tiempo después, Étienne se fue a trabajar como recaudador de impuestos. Para ayudarlo en su trabajo, Blaise inventó la primera calculadora digital.

El trabajo matemático de Pascal ejerció una gran influencia en numerosos filósofos y científicos, incluyendo a René Descartes e Isaac Newton. El trabajo de Pascal sobre el triángulo aritmético (llamado hoy triángulo de Pascal) llevó a otros descubrimientos importantes en las matemáticas.

De regreso a casa

—¡**U**NO!—, retumba una voz desde el radio. —¡UNO!—, repite. —¡DOS! ¡TRES! ¡CINCO!—, ruge la voz. Después se detiene.

—Repitió el "1" y se saltó el "4", como en la sucesión de Fibonacci–, dice Anita.

—Suena como la cuenta regresiva que me llevó al espacio–, dices tú. —Sólo que esta vez la cuenta fue progresiva–.

—Oye, si la secuencia de Fibonacci te trajo al espacio, quizá de alguna manera también nos lleve de regreso a la Tierra–, dice Memo.

—Pero la voz detuvo el conteo–, le respondes. —¿Y si estuviéramos atrapados aquí?–.

Mientras tanto, Anita analiza los números que están sobre los cubos que forman el triángulo de Pascal. —Apuesto que la sucesión de Fibonacci está en algún lugar del triángulo de Pascal–, dice. —Todas las secuencias de números del universo parecen estar en el triángulo de Pascal. Si tan sólo pudiéramos encontrarlos, quizá tendríamos algo–.

Los tres empiezan a buscar los números de Fibonacci en los cubos numerados, pero no aparecen por ningún lado. ¿Puedes encontrar la sucesión de Fibonacci sumando o multiplicando hileras de números?

[Respuesta a continuación]

Busca los números de Fibonacci en el triángulo de Pascal.

QUÉ NECESITAS
- copias del triángulo de Pascal de la página 90
- lápiz
- regla

QUÉ HACER

1. Traza una serie de líneas diagonales, como se muestra en la página 97.
1. Suma los números marcados en los cuadrados que atraviesa cada diagonal y anota el resultado. Considera sólo los cuadrados que cruzan las diagonales más o menos hacia el punto medio.

Por ejemplo, la primera línea sólo pasa por el 1, lo mismo que la segunda. La tercera línea pasa sobre dos unos, así que tienes un total de 2. La cuarta línea pasa sobre un 2 y un 1, para un total de 3. ¿Identificaste los números?

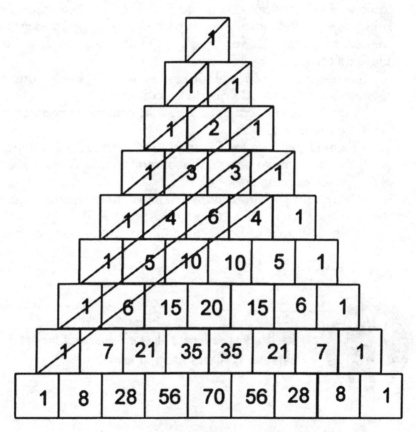

Buscando los números de Fibonacci en un triángulo de Pascal.

[Respuesta en la p. 109]

Un lugar familiar

–¡Increíble!–, dice Memo cuando le muestras a él y a Anita la sucesión de Fibonacci que encontraste en el triángulo de Pascal. Justo cuando llegas hasta la línea que suma 8, se vuelve a escuchar la voz desde el radio.

–¡OCHO!–, resuena la voz. Un octágono aparece en la pantalla, y el motor ruge al tiempo que sientes el despegue de la nave espacial. Pronto la pantalla se llena de figuras tridimensionales: cubos, tetraedros, octaedros, icosaedros y una buckypelota. Haces clic sobre la buckypelota y crece del tamaño de un brillante balón de futbol soccer de colores. Admirado por su brillante superficie formada por pentágonos y hexágonos, haces clic en uno de los hexágonos. De repente, la pantalla se llena con el diseño de un tablero de ajedrez.

Se vuelve a escuchar el rugido del motor, y sientes que se te sube el estómago. De pronto, todo queda en calma.

Te pones de pie, caminas hacia la ventana y reconoces la Ciudad Tablero de Ajedrez.

–¡Es el Planeta de las Figuras! ¡Regresamos!–, exclamas.

Sales de la nave espacial acompañado de Anita y Memo, y empiezan a dar pasos al azar.

–Estoy cansándome y parece como si pudiéramos continuar para siempre, caminando de un cuadro a otro–, dice Anita.

¿Podrías llegar al borde de Ciudad Tablero de Ajedrez avanzando al azar?

[Respuesta a continuación]

Realiza una caminata aleatoria sobre un tablero de ajedrez para ver si puedes llegar al borde.

QUÉ NECESITAS ● tablero de ajedrez
● dado
● piezas de ajedrez (o monedas u otros objetos)

QUÉ HACER

1. Encuentra los cuatro cuadros centrales del tablero y pon una pieza de ajedrez en uno de ellos.

2. Tira el dado y da un "paso" poniendo otra pieza de ajedrez en el cuadro que corresponda: si cae un 1, pon la pieza en el cuadro de arriba; si cae un 2, pon la pieza en el cuadro de la derecha; si cae un 3, coloca la pieza en el cuadro de abajo; si cae un 4, pon la pieza en el cuadro de la izquierda. Si te sale un 5 o un 6, ignóralos, y tira otra vez el dado.

3. Continúa lanzando el dado y poniendo una pieza de ajedrez en el cuadro que corresponda.

4. ¿En cuántas tiradas llegas al borde del tablero?

5. ¿Qué clase de patrón forman las piezas de ajedrez?

6. Ahora realiza una caminata aleatoria "autorrestrictiva" (lee las páginas 104-105). Coloca una pieza de ajedrez sobre uno de los cuatro cuadros del centro, tira el dado y coloca otra pieza de ajedrez en el cuadro que corresponda.

7. Tira otra vez el dado y coloca una pieza de ajedrez en el cuadro adyacente al que acabas de cubrir que corresponda. No puedes volver sobre tus "pasos", por lo que si el cuadro ya está ocupado, ignora ese resultado y vuelve a tirar el dado.

8. Intenta llegar al borde del tablero de ajedrez antes de que se te acaben las piezas o quedes atrapado. Quedarás atrapado y sin poder moverte si terminas en un cuadro rodeado por cuatro cuadros que ya estén ocupados.

9. ¿Qué caminata te lleva primero al borde del tablero, la aleatoria normal (pasos 2 y 3) o la autorrestrictiva (pasos 6 y 7)?

[Respuestas en la p. 109]

Senderos misteriosos

Cuando Anita, Memo y tú llegan al límite de Ciudad Tablero de Ajedrez, encuentran tres bicicletas y tres ciclopistas paralelas marcadas con un letrero.

Todas las ruedas tienen aproximadamente el mismo diámetro, pero una bicicleta tiene las ruedas cuadradas, otra las tiene hexagonales y la tercera bicicleta tiene ruedas octagonales.

Todas las ciclopistas están hechas de topes, pero los topes de una son anchos y altos, los de otra son de tamaño mediano, y los topes de la tercera son cortos y relativamente planos.

Anita escoge la bicicleta con ruedas cuadradas, Memo toma la bicicleta con ruedas hexagonales y tú escoges la bicicleta con ruedas octagonales.

¿Cuál ciclopista debe escoger Anita? ¿Y Memo? ¿Cuál ciclopista será la más adecuada para las llantas octagonales?

(*Pista*: lee la sección "Caminos diferentes para ruedas diferentes" de la página 51).

[Respuestas en la p. 109]

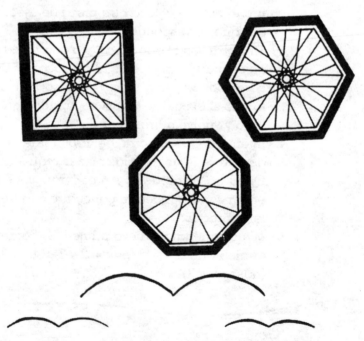

Encuentra el camino que le corresponde a cada tipo de rueda.

Caminos que se bifurcan

Al final de las tres ciclopistas llegan hasta dos letreros. El primero dice "Nave Espacial Tierra" y señala hacia un gigantesco balón de futbol soccer, incluso más grande que la cápsula espacial en la que has estado viajando.

–¡Ésa es!–, dice Anita, señalando hacia la Nave Espacial Tierra. –Ése es el vehículo que nos trajo aquí. Va y viene de aquí a la Tierra, como si fuera un transbordador. ¡Nos llevará a casa!–.

Empiezas a sentir un poco de nostalgia y emoción, mientras Memo se acerca al otro letrero.

–¡Caramba!–, exclama. –Este letrero dice: "¡Cancha de Buckybol!"–. Después te das cuenta de que el letrero señala hacia un campo cubierto de pasto, donde dos equipos de niños juegan futbol soccer. Un equipo usa playera negra y el otro playera blanca, como las que llevan Anita y Memo.

–Creo que nuestro equipo nos necesita–, dice Memo, justo cuando el equipo de playera negra anota un gol. –¿Quieres venir con nosotros?–, te preguntan.

Te sientes muy cansado como para jugar futbol o siquiera para mirar el juego, y volteas hacia la Nave Espacial Tierra.

–Si prefieres volver a casa, estoy segura de que la Nave Espacial Tierra te llevará–, dice Anita. –Es muy parecida a tu cápsula espacial. Revísala por dentro–.

–¿Estás seguro que no quieres jugar, aunque sea un rato?–, pregunta Memo.

Pero tú estás ansioso por volver a casa, te despides cariñosamente de tus dos nuevos amigos y entras a la Nave Espacial Tierra.

Planeta Tierra

–¡TRECE!–, retumba una voz de la Nave Espacial Tierra. Por dentro, se ve como la cápsula espacial en la que has estado viajando, sólo que más grande.

–¡VEINTIUNO!–, dice. Por supuesto, ya sabes qué número sigue.

–¡TREINTA Y CUATRO!–. Empiezas a darte cuenta de que el gigantesco balón de futbol soccer ¡está navegando por el espacio! Miras por la ventana y de pronto reconoces la Tierra. Te acercas cada vez más y más, y se escucha el ruido de un motor.

–¡CINCUENTA Y CINCO!–. Repentinamente todo queda en calma.

Te das cuenta de que estás acostado en tu cama, mirando el techo. Te sientas y de pronto descubres que tu habitación ya no es una cápsula espacial. ¡Pero tampoco está desordenada! ¡Todo a tu alrededor está justo en su lugar!

Recorres con la mirada las paredes, el piso y el techo, y recuerdas que tenían hoyos que te llevaban a la cuarta dimensión. Piensas en el piso de tu baño y te das cuenta de que su diseño de octágonos y cuadrados se parece al de Plaza Octágono del Planeta de las Figuras. Recoges tu balón de futbol soccer y empiezas a contar la cantidad de pentágonos que hay en su superficie.

A través de la puerta comienzas a oler un delicioso *pie* de manzana. Piensas en las manzanas y te preguntas cuántas semillas habrá en cada una. Recuerdas a los Dígitos de la Tierra de Pi, y te preguntas si volverás a verlos alguna vez.

Tu mente está llena de interrogantes: ¿Regresarás alguna vez al espacio? ¿Cuál es la diferencia entre el espacio "exterior", el espacio físico y el espacio matemático?

Alguien toca la puerta. —Adelante—, dices, preguntándote si se trata de una visita de los Dígitos o si Anita y Memo regresaron.

Tu mamá abre la puerta y te das cuenta de que has vuelto a la mundana realidad terrestre.

—¡Buen trabajo al ordenar tu cuarto!—, te dice tu mamá. —¡Acompáñanos a un festín de *pie*!—.

¿Habrá más invitados?

Respuestas ●●●●●●●●●●●●●●●●●●●●●●●●

Aventura 1

Página 4.　　El duodécimo número de Fibonacci es 144. El decimosexto es 987.

Página 4.　　Los números que faltan son: 76, 96, 44 y 25.

El primer conjunto de números es un ejemplo de la secuencia de Lucas que comienza con 1 y 3, después 1 + 3 = 4, 3 + 4 = 7, 4 + 7 = 11, 7 + 11 = 18, y así sucesivamente. En la segunda sucesión, los números se duplican una y otra vez. En la tercera, comienzas con 1, le sumas 2 para obtener 3, después le sumas 3 a la respuesta para obtener 6, luego sumas 4 al nuevo resultado para obtener 10, y así sucesivamente. La cuarta sucesión se compone de cuadrados perfectos consecutivos: $1 \times 1 = 1$, $2 \times 2 = 4$, $3 \times 3 = 9$, y así sucesivamente.

Página 6.　　Algunas excepciones comunes son la amapola y la flor de cerezo, ambas tienen cuatro pétalos. Las azucenas tienen seis pétalos.

Página 10.　　1. X mide 2.8 cm (1⅛ pulgadas), y Y mide 4.8 cm (1⅞ pulgadas).

2. $Y/X = 4.2$ cm (1.666 pulgadas).

3. LM mide 2.8 cm (1⅛ pulgadas), y LN mide 4.375 cm (1¾ pulgadas).

4. $LN/LM = 3.9$ cm (1.555 pulgadas)

Tus mediciones probablemente son un poco diferentes, pero deben acercarse a la razón áurea, 1.61803...

Aventura 2

Página 16.　　Los cuadrados y triángulos se acoplan en dos formas diferentes para formar un teselado.

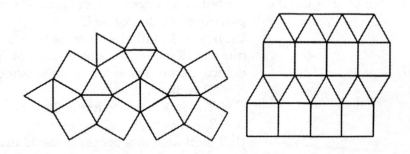

Los triángulos y hexágonos también se acoplan en dos formas diferentes.

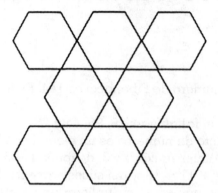 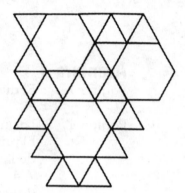

Sólo hay una manera de combinar triángulos, cuadrados y hexágonos.

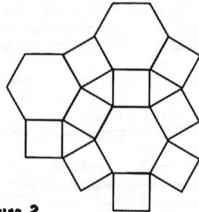

Aventura 3

Página 28. La relación es C + V = A + 2

Si C = 8 y V = 12, entonces, C + V = 20, de donde A = 18. Esto significa que un poliedro con 8 caras y 12 vértices tiene 18 aristas.

Página 30. Un balón de futbol soccer tiene 32 caras (20 hexágonos y 12 pentágonos), de donde C = 32.

Un balón de futbol soccer es un icosaedro truncado, por lo que sus 12 pentágonos se forman al "rebanar" los 12 vértices del icosaedro. Por lo tanto, un icosaedro truncado tiene 12 × 5 = 60 vértices.

C + V = A + 2, por lo tanto, 32 + 60 = A + 2, de donde 92 = A + 2, y A = 90.

Un balón de futbol soccer tiene 90 aristas.

Aventura 5

Página 41.   La suma de los ángulos de un triángulo en una esfera es mayor que 180 grados.

La suma de los ángulos de una figura de cuatro lados sobre una esfera es mayor que 360 grados. El diamante de beisbol es una figura cuadrada con sus cuatro ángulos del mismo tamaño. Sobre una esfera, cada ángulo de un cuadrado es mayor que 90 grados. En una esfera, mientras más grande sea el diamante de beisbol, mayores serán los ángulos.

Página 42.   Sí: son arcos de grandes círculos del balón de futbol soccer. Los pentágonos y los hexágonos se empalman de tal modo que sus bordes se juntan en grandes arcos de una esfera. (Debido a que estas figuras son redondas sobre una esfera, sus ángulos son más grandes que los ángulos de pentágonos y hexágonos regulares planos.)

Página 42.   Miniacertijo: la respuesta más simple es que el piloto inició su viaje en el Polo Norte. Sin embargo, también es posible que comenzara en algún lugar de un gran círculo que está a 116 kilómetros del Polo Sur. Después de volar 100 kilómetros al sur y luego 100 kilómetros al este, habría completado un círculo alrededor del Polo Sur. Entonces, al viajar 100 kilómetros al norte, terminaría su viaje en el mismo lugar de donde partió.

Aventura 13

Página 59.
1. La longitud del lado del hexágono pequeño: 2.7 cm (1$\frac{1}{16}$ pulgadas)
2. Perímetro del hexágono pequeño: 2.7 × 6 = 16.2 cm (1$\frac{1}{16}$ × 6 = 6.375 pulgadas)
3. Longitud del lado del hexágono grande: 3.2 cm (1$\frac{1}{4}$ pulgadas)
4. Perímetro del hexágono grande: 3.2 × 6 = 19.2 cm (1$\frac{1}{4}$ × 6 = 7.5 pulgadas)
5. Circunferencia estimada del círculo: (16.2 + 19.2) ÷ 2 = 17.7 cm [(6.375 + 7.5) ÷ 2 = 6.9375 pulgadas]
6. Diámetro del círculo: 5.4 cm (2$\frac{1}{8}$ o 2.125 pulgadas)
7. Estimación de pi: 17.7 ÷ 5.4 = 3.2777 (6.9375 ÷ 2.125 = 3.2647)

Tus mediciones probablemente son un poco diferentes, pero la aproximación al valor de pi debe ser razonable.

Aventura 21

Página 72. Caminata en una cuadrícula: en una caminata aleatoria normal (no autorrestrictiva), tu trayectoria es más marcada alrededor del punto de partida porque los vértices más cercanos son los que visitas con mayor frecuencia. Es como una especie de mapa de carreteras, donde los caminos y otros señalamientos son más densos en los poblados y más espaciados en la periferia de los mismos.

Página 73. En una caminata aleatoria autorrestrictiva, tu trayectoria puede formar un patrón similar, pero podrías quedar atrapado en un punto donde el único movimiento posible es a un lugar donde ya estuviste.

Aventura 34

Página 81. Cuando los lados A y B se juntan, las X ganan: la hilera inferior queda junto a la hilera superior, tal como se muestra en los cuadros punteados de la parte superior del diagrama de la derecha; además, la hilera superior queda a un lado de la hilera inferior, como se muestra en los cuadros punteados del lado inferior del diagrama. Esto crea una hilera diagonal de tres X.

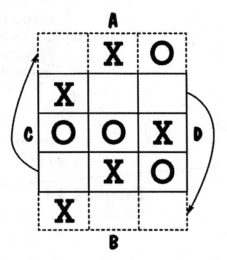

Al unir los lados C y D también se produce una hilera diagonal de tres X, tal como se muestra en el diagrama de abajo.

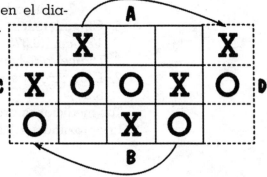

Aventura 55

Página 91.

1. La tercera diagonal en el triángulo de Pascal es 1, 3, 6, 10, 15, 21...; estos números forman el siguiente patrón: el segundo número es igual al primero más 2. El tercer número es igual al segundo más 3. El cuarto número es igual al tercero más 4, y así sucesivamente.

2. Al sombrear los múltiplos de 5 en el triángulo de Pascal, se crea un patrón de triángulos en el que cada triángulo sombreado consta de diez números.

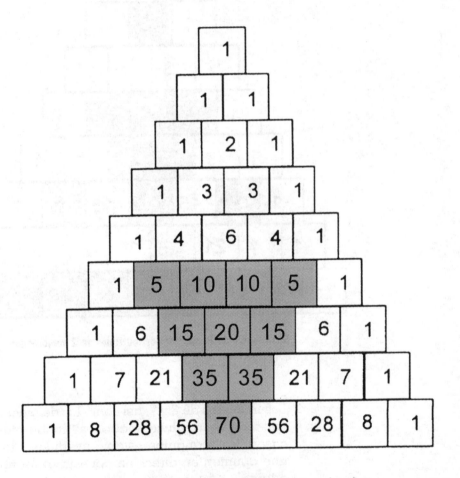

El triángulo de Pascal con los múltiplos de 5 sombreados.

3. Al sombrear los múltiplos de 2 se obtienen triángulos de varios tamaños, los cuales forman el patrón especial descrito en la página 92 y que se muestra en la página 109.

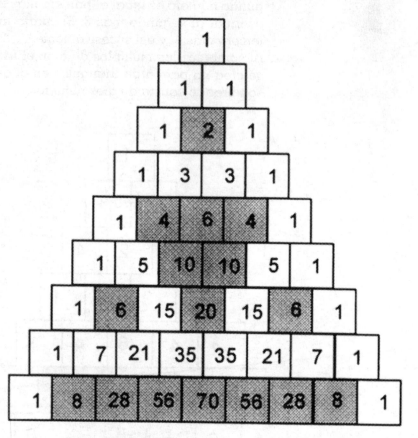

El triángulo de Pascal con los múltiplos de 2 sombreados.

4. Los múltiplos de 3 y 7, así como los de muchos otros números, también producen patrones triangulares. En todos los casos, los triángulos están "invertidos", lo que significa que apuntan en dirección opuesta al triángulo de Pascal original.

5. Al sombrear los cuadros que no son múltiplos de un número dado, a menudo producen un patrón triangular, con triángulos "boca arriba" o que apunten en el mismo sentido que el triángulo original de Pascal.

Página 93. Triángulo de Sierpinski.

Aventura 89

Página 97. La quinta línea suma 5. La siguiente suma 8, y la serie de Fibonacci continúa con 13, 21 y así sucesivamente.

Página 99. En una caminata aleatoria normal en el tablero de ajedrez, probablemente llegarás a la orilla del mismo en menos de quince tiradas. Las piezas de ajedrez formarán un patrón parecido al mapa tridimensional de una montaña; las hileras de piezas de ajedrez más altas se ubicarán hacia el centro.

En la caminata aleatoria autorrestrictiva, probablemente llegarás a la orilla en menos pasos. Sin embargo, nunca llegarás a la orilla si quedas atrapado en un cuadro que esté rodeado por piezas de ajedrez, las cuales impedirán que te muevas en cualquier dirección.

Página 100. A medida que aumenta el número de lados de un polígono, éste se ajustará a las catenarias invertidas ("topes") más angostas y planas. (El tamaño del radio de las ruedas también afecta el tamaño de los topes a los que se ajustarán, aunque, en este caso, las tres bicicletas tienen ruedas con el mismo radio). La bicicleta con ruedas cuadradas de Anita se ajusta a los topes anchos y altos. La bicicleta de Memo con ruedas hexagonales se ajusta a caminos con topes de tamaño medio, y tu bicicleta con ruedas octagonales permite un desplazamiento suave en caminos con los topes más angostos y menos altos.

Glosario ··

Buckypelota: icosaedro truncado.

Caminata aleatoria: movimiento paso por paso desde un punto a otro, cuya dirección se elige al azar.

Caminata aleatoria autorrestrictiva: caminata aleatoria que nunca pasa por el mismo punto más de una vez.

Catenaria: figura formada con una cuerda, cadena o cable que cuelga libremente de dos puntos de apoyo. Los dos puntos deben estar a la misma altura.

Cilindro: figura tridimensional cuyas secciones transversales son círculos del mismo ancho. Puede ser sólido como una barra de caramelo o hueco como una lata de aluminio.

Circunferencia: distancia alrededor de un círculo; también se le llama perímetro.

Circunscrito: figura construida alrededor de otra figura, tocando la mayor cantidad posible de puntos de esta última.

Diámetro: distancia que atraviesa un círculo que pasa por su centro y une dos puntos de su circunferencia.

Fractal: tipo de figura que se repite infinitamente en la que cada parte consiste en versiones a escala de la estructura completa.

Geodésica, distancia: la curva más corta entre dos puntos sobre una superficie tridimensional.

Gran círculo: borde circular de una esfera cortada exactamente a la mitad. También, el círculo más grande que puede dibujarse sobre una superficie esférica.

Hexágono: polígono de seis lados.

Hiperespacio: espacio tetradimensional.

Icosaedro: poliedro de 20 caras. Un icosaedro regular tiene caras triangulares, cada una de las cuales es un triángulo equilátero.

Icosaedro truncado: poliedro compuesto por veinte hexágonos regulares y doce pentágonos regulares.

Inscrito: figura dibujada dentro de otra figura de tal modo que toque el mayor número posible de puntos en esta última.

Número irracional: número que no puede escribirse en la forma a/b, donde a y b son números enteros. Expresado en notación decimal, un número irracional tiene un número infinito de dígitos a la derecha del punto decimal, los cuales no siguen ningún patrón repetido.

Pentágono: polígono de cinco lados.

Perímetro: longitud del contorno, o borde, de una figura plana.

Periódico: que se repite. Un diseño periódico tiene un patrón de una o más partes que se repiten.

Pi: la circunferencia de un círculo dividida entre su diámetro.

Plano: superficie plana de extensión infinita.

Poliedro: figura tridimensional cuya superficie está compuesta por polígonos.

Polígono: superficie plana de tres o más lados. Generalmente cada lado es recto, no curvo.

Polígono regular: figura plana de tres o más lados, cuyos lados y ángulos son iguales. Además, todos los vértices pueden unirse para formar un círculo.

Radio: es la distancia desde el centro de un círculo hasta su contorno (el diámetro dividido entre 2).

Razón áurea: un segmento de línea (C) está dividido en la "sección áurea" si la parte más pequeña (A) dividida entre la parte más larga (B) es igual a B dividida entre C. (A/B = B/C). Si A = 1, entonces B es la razón áurea. El símbolo de la razón áurea es τ. El número τ siempre es igual a $\frac{1}{2}(1 + \sqrt{5})$, o aproximadamente 1.6180.

Rectángulo áureo: un rectángulo cuyos lados corresponden a la razón áurea.

Simetría: equilibrio y regularidad. En un diseño simétrico, las partes que quedan a ambos lados de una línea divisoria corresponden en forma, tamaño y posición relativa.

Sucesión de Fibonacci: secuencia de números, formulada por primera vez por Leonardo de Pisa, o Fibonacci, a principios del siglo XIII. Comienza así: 1, 1, 2, 3, 5, 8, 13, 21, 34, 55.... Para obtener el siguiente número, siempre se suman los dos números que lo anteceden.

Sucesión de Lucas: secuencia de números que debe su nombre a Édouard Lucas, teórico francés, quien estudió la sucesión de Fibonacci y otras secuencias parecidas, como la sucesión de Lucas, que inicia con: 1, 3, 4, 7, 11, 18,....

Sólido de Platón: poliedro cuya superficie está compuesta por polígonos regulares.

Toroide: objeto tridimensional que parece una dona.

Triángulo de Pascal: patrón triangular de números, en el que cada número es la suma de los dos números que están arriba de él. (Véase la página 90.)

Tubo múltiple: cierto tipo de objeto multidimensional, cuyos lados opuestos se conectan a través de una dimensión mayor.

Vértice: es la esquina de una figura. En un polígono, un vértice es el punto donde dos lados se unen, mientras que en un poliedro es donde tres o más caras se unen.

Bibliografía recomendada ....

Visita el sitio Web de este libro en la dirección http://home.att.net/~mathtrek/ para obtener material y referencias adicionales, más acertijos y más juegos divertidos, vínculos con otros sitios Web sobre temas como números de Fibonacci, caminatas aleatorias, geometría de la cuarta dimensión y muchos más. La dirección de correo electrónico de los autores es mathtrek@worldnet.att.net.

Seguramente también encontrarás de interés las siguientes páginas Web en español: Matemágicas (matemáticas recreativas), http://galeon.com/mponce/Archivos/home.htm; Sector Matemática, http://sectormatematica.cl/; Ministerio de Educación, Cultura y Deporte (España), http://centros5.pntic.mec.es/, y Curiosidades Matemáticas, http://www.geocities.com/Athens/Acropolis/4329/cumat.htm.

General

Hans Magnus Enzensberger. *The Number Devil: A Mathematical Adventure.* (Nueva York: Henry Holt, Metropolitan Books).

Jane Muir. Of Men and Numbers: *The Story of the Great Mathematicians.* (Mineola, Nueva York: Dover).

Ivars Peterson. *The Mathematical Tourist: New and Updated Snapshots of Modern Mathematics.* (Nueva York: W. H. Freeman).

Ivars Peterson y Nancy Henderson. *Matelocuras: pasatiempos matemáticos.* (México: Limusa · Wiley).

Michael Serra. *Discovering Geometry: An Inductive Approach.* 2a ed. (Berkeley, Calif.: Key Curriculum Press).

David Wells. *The Penguin Dictionary of Curious and Interesting Numbers.* Edición revisada (Nueva York: Penguin).

Aventura 1

Rob Eastaway y Jeremy Wyndham. "Why Can't I Find a Four-Leafed Clover?". En *Why Do Buses Come in Threes? The Hidden Mathematics of Everyday Life.* (Nueva York: John Wiley & Sons).

Martin Gardner. "Fibonacci and Lucas numbers". En *Mathematical Circus.* (Washington, D.C.: Mathematical Association of America).

Martin Gardner. "Phi: The Golden Ratio". En *The 2nd Scientific American Book of Mathematical Puzzles and Diversions.* (Nueva York: Simon & Schuster).

Ivars Peterson. "Nature's Numbers". *Muse* 3: 25.

Ian Stewart. *Nature's Numbers: The Unreal Reality of Mathematics.* (Nueva York: HarperCollins, Basic Books).

Aventura 2

Martin Gardner, "Penrose Tiling". En *Penrose Tiles to Trapdoor Ciphers... and the Return of Dr. Matrix*. (Washington D.C.: Mathematical Association of America).

Martin Gardner. "Tiling with Convex Polygons". En *Time Travel and Other Mathematical Bewilderments*. (Nueva York: W. H. Freeman).

Doris Schattschneider. *Visions of Symmetry. Notebooks, Periodic Drawings and Related Works of M. C. Escher*. (Nueva York: W. H. Freeman).

Aventura 3

J. Baldwin. *BuckyWorks: Buckminster Fuller's Ideas for Today*. (Nueva York: John Wiley & Sons).

Martin Gardner. "The Five Platonic Solids". En *The Unexpected Hanging: And Other Mathematical Diversions*. (Chicago: University of Chicago Press).

Aventura 5

D. Burger. *Sphereland: A Fantasy about Curved Spaces and an Expanding Universe*. Traducido al inglés por C. J. Rheiboldt (Nueva York: Barnes & Noble Books).

István Lénárt. *Non-Euclidean Adventures on the Lénárt Sphere: Investigations in Planar and Spherical Geometry*. (Berkeley, Calif., Key Curriculum Press).

Aventura 8

Martin Gardner. "Curves of Constant Width". *En The Unexpected Hanging: And Other Mathematical Diversions*. (Chicago: University of Chicago Press).

Ivars Peterson. "Covering Up". *Muse* 3: 36.

Ivars Peterson. "Square Wheel". *Muse* 3: 29.

Stan Wagon. "The Ultimate Flat Tire". En *Math Horizons*: 14-17.

Aventura 13

Petr Beckmann. *A History of π (Pi)*. (Nueva York: St. Martin's Press).

David Blatner. *The Joy of π*. (Nueva York: Walker and Company).

Martin Gardner. "The Transcendental Number Pi". En *Martin Gardner's New Mathematical Diversions from Scientific American*. (Nueva York: Simon & Schuster).

Aventura 21

Martin Gardner. "Random Walks on the Plane and in Space". En *Mathematical Circus*. (Washington, D.C.: Mathematical Association of America).

Ivars Peterson. *The Jungles of Randomness: A Mathematical Safari.* (Nueva York: John Wiley & Sons).

Aventura 34

Edward A. Abbott. *Flatland: A Romance of Many Dimensions.* (Princeton, N.J.: Princeton University Press).

Thomas F. Banchoff. *Beyond the Third Dimension: Geometry, Computer Graphics, and Higher Dimensions.* (Nueva York: Scientific American Library).

Aventura 55

Martin Gardner. "Pascal's Triangle". En *Mathematical Carnival.* (Washington, D.C.: Mathematical Association of America).

Martin Gardner. "Mandelbrot's Fractals". En *Penrose Tiles to Trapdoor Ciphers... and the Return of Dr. Matrix.* (Washington, D.C.: Mathematical Association of America).

Ian Stewart. "Pascal's Fractals". En *Game, Set, and Math: Enigmas and Conundrums.* (Oxford, Inglaterra: Basil Blackwell).

Índice

Índice

La EDICIÓN, COMPOSICIÓN, DISEÑO E IMPRESIÓN DE ESTA OBRA FUERON REALIZADOS
BAJO LA SUPERVISIÓN DE GRUPO NORIEGA EDITORES
BALDERAS 95, COL. CENTRO. MÉXICO, D.F. C.P. 06040
1213305000104529DP9200IE